6,50

Jorge Enrique Adoum

Ecuador:
señas particulares

(ensayo)

ESKELETRA
editorial

Ecuador: señas particulares

Ecuador: señas particulares
Sexta edición
© Jorge Enrique Adoum, 2000
© Eskeletra Editorial, 2000

Eskeletra Editorial
12 de Octubre y Roca (esq) 1º piso
Tel: 556691 / Fax: 543607 / Casilla postal 164-B Quito

Diseño de portada: Alfredo Ruales

Derechos de Autor nº 011342
ISBN: 997840-310-8
Impreso en Ecuador

PROLOGO A LA PRESENTE EDICION

En diciembre de 1997 apareció la primera edición de *Ecuador: Señas particulares*, «auspiciada por el Programa de Acción Cultural del Ministerio de Gobierno», según consta en la página de créditos, y en una «Presentación» del entonces ministro de Gobierno, César Verduga Vélez. La acogida que tuvo por parte del público y la crítica fue insólita en su generosidad: lo confirman cinco reimpresiones y esta nueva edición, ampliada y actualizada, dos años. Cuatro meses después de la primera, hacia abril de 1998, en la investigación que la prensa inició respecto de los gastos reservados del ministro de Gobierno, se procedió «a la ecuatoriana»: primero, la acusación de turbiedad en su manejo, luego la búsqueda de pruebas —inútil, puesto que, «reservados», al fin y al cabo, fueron destruidas con aprobación de la Contraloría General de la Nación—, y, finalmente, el esfuerzo por encontrar algo reprochable en otros gastos, por legales que fueran, entre ellos el apoyo a una fundación cultural para la celebración de un congreso de escritores jóvenes y el auspicio a la editorial que publicó el presente libro, auspicio que nadie había criticado antes. El tema relativo a las relaciones entre el Estado y la cultura y entre los intelectuales y el poder llegó, por fin, a ser de actualidad, desde luego efímera, en el país: hubo un número inusitado de artículos, reportajes, encuestas, entrevistas, comentarios y cartas —en una supuesta polémica, dado que se buscó que participaran en ella, con una sola excepción, quienes mantenían una misma actitud—, en los que se reducía el término «intelectuales» a algunos escritores y la «cultura» a ciertas actividades literarias.

Semejante reducción obedece a la confusión permanente entre Estado y gobierno: puesto que la cultura —considerada como el espíritu del pueblo al que pertenecemos— es indetenible y avanza, a veces, pese al Estado y no gracias a él, parecería desprenderse, como consecuencia, que el gobierno no debe ocuparse de la creación artística. De ahí se dedujo, en afirmaciones hechas incluso por quienes habían sido o seguían y siguen siendo funcionarios —de la Casa de la Cultura Ecuatoriana, del Consejo Nacional de Universidades y Escuelas Politécnicas y hasta de la administración municipal—, que los intelectuales no deben tener relación alguna con el Estado y, por ende, tampoco exigirle nada. Tras la máscara noble de la preocupación ética podía sentirse el mal aliento de la amargura o el rencor, que un honesto comentarista admitió, puesto que trató de justificarlo diciendo que, «según todos los datos», Espejo era «amargado», «pero sus rencores no disminuyen el valor de sus escritos». Tampoco lo acrecientan.

«El artista tiene que...», «el intelectual está obligado a...», «el escritor debe de...». Así suelen comenzar frases que repiten con frecuencia quienes pretenden elevarse por encima del pobre individuo de quien no está muy claro que vive por sus manos. El deber del artista difiere intelectual y no éticamente del que puede exigirse a otros trabajadores, igual o más útiles que él, como el panadero o el fabricante de ladrillos y sin los cuales no existiría: hacer bien su trabajo. En cuanto al mantenimiento de la fidelidad a sus principios, la lealtad a sus creencias, la solidaridad con sus iguales —a que está más obligado que los demás— parecería que supone, en el caso del intelectual, no «contaminarse» de Estado, no «mancharse» con él. Es verdad que, tradicionalmente, las figuras más altas de la inteligencia han ejercido siempre la crítica del poder, que no es lo mismo que una oposición a ciegas: eso nos enseñaron, aún antes que André Malraux y Jorge Semprún como ministros de Cultura de regímenes en los que creyeron y contribuyeron a entronizar, Guillén y Carpentier con la Revolución Cubana, Neruda como embajador de Allende, Cardenal y Sergio Ramírez en el gobierno sandinista de Nicaragua...[1] Y si es verdad que Siqueiros estuvo ocho años preso —lo que se recordó a fin de citarlo como ejemplo de la actitud honesta y justa del artista (desvergonzadamente, la reproducción de un cuadro suyo ilustraba el catálogo de una exposición oficial itinerante de arte mexicano)—, también es verdad que el gobierno de México había puesto a su disposición, para que las cubriera con murales de genio, inmensas superficies de los edificios públicos. Igual hizo con Rivera y Orozco, y también con Rufino Tamayo, el disidente del muralismo mexicano. «¿Mecenazgo o favoritismo?», preguntaba alguien. De igual manera actuaron el Vaticano y el gobierno francés al encomendar la decoración de la Capilla Sixtina y del cielo raso de la cúpula de la Opera de París, a Miguel Angel y a Marc Chagall, respectivamente, sin ponerla en licitación, «con transparencia». ¿Corrupción del artista por el poder? Lo mismo cabría decir, en el mundo entero, de todas las compañías de teatro subvencionadas, todas las orquestas sinfónicas, todos los conjuntos de ópera y de ballet, todas las agrupaciones de cineastas y las editoriales, incluidas las que hoy día constituyen grandes empresas financieras, por

1 Un «pensador», a quien le perjudica no ser tonto, por lo cual su tergiversación denota mala fe, se refirió a «ciertos intelectuales para los cuales la participación de Neruda, Guillén o Cardenal en los gobiernos de Allende o de Fidel o de los sandinistas se equipara con los auspicios de cierto exministro [sic] de Policia de Alarcón...» (HOY, Quito, 8 de mayo de 1998).

no hablar de concursos, bienales de pintura, exposiciones y premios... Y puesto que el mal aliento tras la máscara insinúa que se pone al servicio del gobierno quien recibe algo del Estado, después de haberlo criticado, «en un sainete en el que nadie cree», ¿deberíamos entrar en semejante categoría quienes hemos sido funcionarios de la Casa de la Cultura, en muy distintos regímenes, y hasta los que, con mérito o sin él, hemos recibido el Premio Eugenio Espejo? (¿En qué cambiamos mi libro o yo si el editor francés de *Entre Marx y una mujer desnuda* obtuvo una subvención de no sé qué organismo gubernamental de Francia?).

Con ocasión de esa vocinglería recordaba yo el Decreto del 5 de octubre de 1992 por el cual el presidente Sixto Durán Ballén prohibía expresamente a todas las dependencias del gobierno, y hasta de la Casa de la Cultura Ecuatoriana, que publicaran o auspiciaran la edición de libros, folletos o revistas. Se hizo saber que se trataba de impedir que los funcionarios hicieran propaganda de sí mismos o de la dependencia que representan o dirigen. Desgraciadamente, es la letra, no el espíritu, de la Ley lo que obliga, y una carta explicativa del Secretario de la Administración al director de un diario no modifica decreto alguno; por lo demás, nadie hizo caso de la prohibición. Pero, respecto del presente libro, quiso aplicarse, mejor que antes, la letra: dado que al hablar de los servicios del Estado —salud, educación, seguridad, vialidad...— jamás se le ocurrió a nadie añadir la cultura, se supone que no compete a dependencia oficial alguna difundir las obras de creación artística. Un jurista, entrevistado acerca del apoyo del Ministerio de Gobierno a actividades literarias, se preguntaba: «¿Qué tal un canciller haciendo túneles?». Como quien dice «zapatero a tus zapatos». Como quien dice que el Banco Central, en lugar de mantener museos y reeditar o publicar libros de historia y literatura, debería limitarse a emitir moneda. Como quien remite la cultura a lo que realmente es entre nosotros: un recuadro minúsculo en el organigrama del Ministerio de Educación, donde sea fácil encontrárla para hacer, preferentemente sobre ella, los consabidos reajustes fiscales. Hay intelectuales que ven «con amarga pena» el envío de «embajadas culturales oficiales» al extranjero (¿hay embajadas culturales personales o privadas?) o, «con preocupación y sorpresa», que un ministerio, peor aún, el de Gobierno, auspicie la edición de libros (¿peor aún la de éste, del cual declaró que «no hace suyos los criterios de valor que contiene» y que «solo contribuye a su difusión como aporte al análisis de nuestro presente y al diseño de nuestro futuro»?). Contra esa posición dije, en su momento, que en un país que no tiene una política cultural y con tan escasos fondos destinados a las manifestaciones intelectuales, lo ideal sería que todos los ministerios lo hicieran.) Al igual que un ex fiscal, consultado al respecto, parecen sostener que «para la cultura el Estado tiene otras instituciones encargadas de ese manejo». ¿Cuáles? ¿Un Ministerio de Educación y Cultura que, a duras penas, logra hacer que se pague su salario a los maestros? ¿Una Casa de la Cultura que, por no poder siquiera cancelar sus planillas de teléfonos, rara vez subvenciona una actividad artística ajena? (Una vez lo hizo, a través de ella, un ministro de Finanzas, que negó, «porque no había», dinero para la reconstrucción de lo que destruyó el fenómeno de El Niño en la Costa, o para la dotación de aparatos y medicamentos a hospitales que, por carecer de ellos, se veían obligados a cerrar, o para salvar del hundimiento definitivo al Teatro Nacional Sucre. Siempre puede argumentarse, y no solo en nuestro país, que más urgentes son la educación y la salud, la higiene y la seguridad, con lo cual jamás habría fondos para el fomento y difusión de la creación literaria y artística, que es a lo que suelen reducir la palabra cultura. Aquella donación fue legal, como lo dictaminó la autoridad de un organismo de control, pero ¿fue moral? ¿Fue moral que se la obtuviera, según un alto funcionario, debido a su amistad personal con el ministro y, según otro, más alto aún, a que el ministro quería ayudar a algunas personas y entidades que no tenían personería jurídica y propuso hacerlo «como si fuera la Casa» la que distribuía los fondos? ¿Fue moral que se solicitara la ayuda para la edición de obras que no se habían escrito por la simple razón de que sus autores ignoraban que esa institución, en un acceso de generosidad y un exceso de actividad, programaría previamente su publicación? ¿Fue moral que, entre las entidades «sin personería jurídica», a las que se quería ayudar figuraran dos organizadas o dirigidas por el funcionario amigo del ministro y, entre las personas, algunas pertenecientes a esas mismas entidades?[2]). Por todo aquello se explica que, antes y después del decreto de Durán Ballén, el gobierno haya financiado la edición de libros y catálogos relativos al país, con ocasión de ferias o de exposiciones internacionales, y que algunas publicaciones, entre ellas las que se refieren a la presencia del Ecuador en el Amazonas a lo largo de la historia, las haya hecho la Superintendencia de Bancos y no el Ministerio de Relaciones Exteriores, como habría querido el ex fiscal... ¿No deben recurrir a cualquier dependencia oficial —puesto que el Estado no es visible en sí mismo— la Bienal de Pintura de Cuenca (que ha tenido que acudir, sistemáticamente, incluso al propio presidente de la República), los conjuntos de teatro, música, danza, cine y las pe-

2 *HOY*, 17 de agosto de 1998.

queñas editoriales particulares, a fin de crear o seguir creando y difundiendo su obra, lo que es su deber y forma parte, necesariamente, de la honestidad intelectual para el cumplimiento de su tarea?

Citando un párrafo de *Ecuador: señas particulares*, repito que «uno desconfía del escritor en el poder, porque ¿hasta qué punto cabe ser poeta, o sea, por definición, libre y, al mismo tiempo, guardián; por definición, dinamitero de un orden y, al mismo tiempo, sirviente del orden? Y, obligado a escoger, ¿qué escoge el funcionario?» Pero, «si se trata de un escritor honesto, cuando llega al poder se propone realizar desde allí lo que era un ideal casi utópico: Malraux se preguntaba: "¿Dónde vale más estar para poner fin a la guerra de Argelia? ¿En el Café de Flore o en el gobierno?"[3]..., aunque uno prefiera a los que, desde la oposición al poder, se pusieron en el bando de la libertad y de la justicia»[4]. Llegamos así a la paradoja de que escritores y periodistas, que habían planteado siempre —o debieron hacerlo— la obligación del Estado de promover y difundir la cultura y el derecho de los intelectuales a exigir su cumplimiento,

---

3 Fernando Tinajero («Antes de empezar», *HOY*, 10 de mayo de 1998) tergiversó la idea de utilidad o eficacia contenida en la frase «¿Dónde vale más...», con la de comodidad, al decir: «... sigo pensando que una mesa en el Café Flore es más cómoda que el despacho del Señor Ministro», en lo cual, obviamente, todos estamos de acuerdo.

4 En el capítulo «La degradación moral de la palabra».

condenaban las raras ocasiones en que alguna agencia oficial lo hacía.

He recordado, al respecto, el vilipendio con que han tratado a los intelectuales en general Velasco Ibarra, Febres Cordero y Bucaram Ortiz. A tono con ellos, un ministro de Gobierno dijo que la Comisión de Control Cívico de la Corrupción es «solo un grupo de abogados y escritores»: ¿qué esperaba que fuera? ¿sería más eficiente o respetable si estuviera integrada por choferes y mercachifles o, mejor aún, si se encomendara su tarea a una policía cómplice y unos funcionarios complacientes o sobornados?

En ese panorama de desprecio recíproco me parece advertir un síntoma más grave, porque concierne a los propios escritores. No hablo ya de aquellos a quienes su rencor «no disminuye el valor de sus escritos» sino a esa suerte de rivalidad beligerante que parece crecer entre «jóvenes» y «consagrados», y que no puede atribuirse a un simple problema generacional, puesto que no se advierte —por lo menos con igual vehemencia— en otros países ni existía en el nuestro, en todo caso, hasta mi generación: juzgábamos con respeto la obra de quienes eran mayores que nosotros, admirábamos, cualquiera que fuera su edad, a quienes lo merecían —conozco a un poeta que iba a sentarse en los peldaños a la entrada de la Casa de la Cultura Ecuatoriana a «ver pasar» a Benjamín Carrión,

Gonzalo Escudero, Alfredo Pareja Diezcanseco, Jorge Carrera Andrade...— y tratábamos de aprender de ellos. Y ellos contribuían, más con su amistad que con sus consejos, a que superáramos nuestra inseguridad y nuestra sensación de impotencia o fracaso, y lo hacían como si se tratara de una obligación generacional (¿ya no lo es?). Ahora, los jóvenes —algunos vanagloriándose de no conocer a los clásicos, porque «Withman y Darío son de la pelea pasada», es decir más viejos aún— invocan, con poca originalidad, el «parricidio» que estuvo de moda hace más de treinta años; pero entonces se lo entendía como una proposición estética que, por su valor igual o mayor, sustituyera a la del «padre» —tal sería el caso de Borges respecto de Lugones o el de Neruda frente a Sabat Ercasty—, y no negando su existencia literaria: olvidan los jóvenes que también tuvieron un día dieciocho o veinte años los autores a quienes hoy condenan remitiéndose a su edad y no a su obra. Por ello dije que, para cometer parricidio, era preciso conocer al padre puesto que, de lo contrario, se corría el riesgo de matar al inocente marido de la madre... Entiendo, además, que la «juventud», en literatura, no es una cuestión de edad sino de actitud: algunos de los últimos relatos de Cortázar son más «jóvenes» que muchos textos escritos ahora por adolescentes.

En revancha, algunos escritores «consagrados» miran con desdén a los «advenedizos»; se burlan de ellos si no son invitados a sus reuniones, mas, cuando los invitan, se niegan a compartir ideas o experiencias con quienes comienzan; les niegan todo valor sin que pueda darse por sentado que conozcan lo que escriben; no recuerdan cómo eran ellos cuando publicaron su primer libro ni que muchos de los verdaderamente grandes —Tolstoi, por ejemplo— se consideraron principiantes hasta su muerte. Algunos, y entre ellos los que, de una manera u otra, orientan los medios de comunicación, participan de la protesta, justa y justificada, por la falta de oportunidades que el país brinda a los jóvenes; pero en cuanto estos se ponen de puntillas para que los demás los vean, para existir literariamente, hay quienes los atropellan como si fuera a empellones que se entra por la puerta angosta de la literatura. (A unos y otros me parecen dirigidas las palabras de José Saramago —quien dedicó el Premio Nobel a los jóvenes que «sueñan con escribir» y a los escritores que no son reconocidos porque han perdido la «ilusión»— cuando, al recordarles que si hubiera muerto a los sesenta años no habría escrito nada, a los setenta y cinco añade: «Quiero que los jóvenes sepan que los viejos estamos aquí para trabajar.»)

Lo consigno en esta página como una de nuestras señas particulares, como una actitud generalizada a otras actividades del país, y porque, precisamente por eso, ya no se trata solo de la relación entre el Estado y la cultura —que es uno de los temas a que se destinan las páginas que siguen— sino entre los propios intelectuales que, se supone, son parte integrante y, en parte, también responsables de uno y otra.

J.E.A.

ANTE TODO

El ojo que ves no es
ojo porque tú lo veas,
es ojo porque te ve.

Antonio Machado

¿De qué —de quién— hablamos cuando decimos «ecuatoriano»? De todo aquel que nació o se naturalizó aquí, evidentemente. De todo el que en el extranjero proclama serlo, intuyendo que reúne colectivamente, con sus compatriotas, ese «conjunto de circunstancias que distinguen a una persona de las demás.»[1] Pero ¿hay un modo de ser ecuatoriano o, mejor dicho, tenemos los ecuatorianos las mismas facciones en la misma cédula de identidad nacional? Porque a veces confundimos identidad —ser idéntico a sí mismo, en virtud de ser distinto de otro— con la suma de señas particulares que pueden ser comunes: quizás algunas de ellas se encuentran también en otros pueblos de América Latina, pero

1 *Pequeño Larousse Ilustrado.*

el hecho de parecerse a alguien no cambia el rostro propio: que otros tengan frente, nariz y boca —e incluso la misma cicatriz o labio leporino— no obliga, ni siquiera autoriza, a borrar esos rasgos de nuestro retrato. Que otros tengan ojos, no nos impide vernos con los nuestros en el espejo.

La identidad, «hecho de ser una persona o cosa la misma que se supone o busca»[2], nos plantea el desafío de saber previamente qué suponemos ser o a quién buscamos. En cuanto a lo que encontremos, puede corresponder o no a la idea que teníamos de nosotros, aunque no siempre con orgullo: el ecuatoriano frecuentemente actúa, sobre todo en el extranjero, como si cargara en sus hombros o llevara inscrita en la frente una suma abrumadora de errores, defectos, caídas, disparates, históricos o personales, acumulados o recientes, que llegan a saberse afuera: allá se conocieron, por ejemplo, circunstancias del gobierno más inmoral y grosero que hayamos tenido y hubo ecuatorianos, particularmente estudiantes que, avergonzados, se hacían pasar por colombianos, chilenos y peruanos, sin por ello dejar de ser lo que eran en el fondo. (Se trata, tal vez, de un mecanismo de defensa, en ese caso por impotencia: si no podemos «lavar la ropa en casa», nuestro orgullo nacional quisiera

2 *Diccionario de la Lengua Española,* de la Real Academia Española.

que no la vieran sucia fuera de ella: así, a la aparición de *Huasipungo*, en 1934, los «bien pensantes» de patria adentro —en ese caso por culpabilidad o complicidad— argumentaban tácitamente, pues no se atrevían a decirlo, que no era la explotación inhumana del indio en las haciendas de Chimborazo y otras provincias lo que nos desprestigiaba ante el mundo sino Jorge Icaza con su novela.)

Ante todo, la identidad colectiva no es algo definido e inmutable, conformado por los siglos anteriores a nosotros, que hubiéramos recibido como una instantánea del pasado, menos aún como un tatuaje que no podemos borrar, sino que se va haciendo, como un autorretrato, por acumulación de rasgos o como un *collage*[3], fatalmente incompleto y no siempre de nuestro agrado, menos aún si defendemos una supuesta pureza cultural: supuesta, porque «los brujos transmiten sus curaciones por radio y la Pepsi-Cola ha entrado en la sabiduría de los curanderos.»[4] O sea que, en un proceso inevitable en la historia de la humanidad, toda cultura es producto de una transculturación, que algunos confunden con la aculturación y condenan todavía:

3 Es la visión de Peter Berger, según Alejandra Maluf: «Identidad y sectores sociales en las sociedades complejas», en *Identidad y ciudadanía*, Quito, feuce-ades-aeda, 1996.

4 Javier Ponce: *Identidades en ruinas*, ponencia presentada a la Mesa Redonda sobre «Señas de identidad de América Latina», en el marco de la «Reflexión americana en torno a "La Capilla del Hombre"», Quito, 11 de agosto de 1996.

nuestros pueblos indígenas reivindican, con dignidad y orgullo, ciertas características de una identidad precolombina y hasta preincásica; otros han adoptado, igual que los blancos y mestizos, valores ajenos a ella, como son los que se refieren a la lengua, las creencias, el vestido, la legislación, los hábitos alimentarios... Pero la identidad colectiva está diseñada por diversos rasgos que, así como ningún dictador ha logrado imponer, ninguno ha logrado, hasta hoy día, desterrar por completo: allí están esos elementos negativos de las culturas populares —porque no todo lo tradicional es popular ni todo lo popular merece ser conservado— , tales como la pornografía, las drogas, el linchamiento, el maltrato a las mujeres y a los niños, la embriaguez semanal...

No existen culturas puras, con excepción de las que han desaparecido hace mucho tiempo: de otro modo no podrían comprenderse las marcas que las civilizaciones occidentales han dejado en el rostro de Japón y de China, por ejemplo, o de Africa, y que aceptamos fácilmente, lo mismo que la huella de Europa en este lado del mundo. Pero es igualmente válido el hecho de combatir o lamentar, según, la adopción en el país, a veces contra la propia voluntad, de valores inauténticos: son, más bien, los tajos que los subproductos culturales de otras civilizaciones dejan en nuestra identidad y que pueden desfigurarla. Néstor García Canclini —probablemente la más alta autoridad entre los estudiosos de la cultura popular latinoamericana— aconsejaba preocuparse menos de lo que se extingue que de lo que se transforma.

La identidad es la raíz más honda o vigorosa que los pueblos y el individuo han echado en la historia: los elementos que la conforman —etnia, lengua, religión, ética, conciencia de nación...— pueden permanecer mucho tiempo enterrados bajo una dominación cultural e incluso bajo los vestigios de otra identidad, y reaparecer un día, de forma espontánea y orgullosa, como la de los campesinos de Chiapas en México, o instintiva y violenta como ha sucedido con las diferentes etnias, nacionalidades y grupos religiosos que se afirman con fiereza en los países de Europa central y oriental; la guerra entre palestinos e israelíes es tan larga, interminable, que parecería ser el estado normal de convivencia de esos dos pueblos, de esas dos culturas.

La indagación de Ecuador comenzó hace relativamente poco y creo que no tendrá fin (como la de Latinoamérica toda, por lo demás): lo buscamos pero quizás no lo hallemos, entero, nunca, porque a cada descubrimiento de un rasgo de su carácter nos muestra nuevos secretos. Y la búsqueda de nuestra identidad se nos ha vuelto una hermosa obsesión: se ha hablado incluso de «rescatarla», como si alguien se hubiera apropiado de ella o la tuviera en la cárcel. Para ello acumulamos los datos de la historia, pero no se han interpretado por entero las consecuencias de esa acumulación, como una herencia que no heredáramos en realidad. En culturas más estables que la nuestra —salvo, desde luego, las minoritarias sometidas a otra más fuerte, como la de los vascos en España o la de los bretones en Francia— la cuestión de la identidad nacional no se plantea, hasta el punto de que les cuesta comprender, aun cuando fuera de manera abstracta, el concepto. Ningún inglés, alemán o sueco sugeriría jamás una toma de conciencia de su identidad: la tiene, actúa de conformidad con ella sin necesidad de recordar sus características ni de asumirla conscientemente —quizás porque la ha asumido su pueblo desde hace siglos— y, cuando más, si la compara u opone a otra, consideraría el resultado apenas como una diferencia de comportamiento.

He contado, en diversas ocasiones, las enseñanzas que extraje de una de las reuniones bienales de los responsables de las ediciones, entonces en 36 lenguas, de *El Correo de la Unesco* que se celebraban en París. La editora italiana dijo no entender qué significaba la identidad de América Latina, de algunos de cuyos aspectos me había ocupado en algunos artículos, por haber señalado que los indígenas —esto era antes de que, en 1980, ellos mismos se identificaran orgullosamente como «indios»— ejecutaban melodías inmemoriales suyas en instrumentos musicales provenientes de Europa; y se preguntaba, preguntándome con ironía, cuál era la identidad de Italia si sufrió la dominación bizantina, árabe, carolingia, si por allí pasaron, en períodos de diversa duración, etruscos, ostrogodos, lombardos, germanos, húngaros, franceses, españoles y hasta alemanes nazis... El responsable de la edición alemana habló, en cambio, de la dificultad con que tropezaba para traducir a su lengua la expresión «identidad cultural», puesto que, no existiendo el concepto, tampoco existían los vocablos. En el primer caso, supuse que la identidad italiana estaba formada por todos los aportes que a su caudal hicieron las corrientes extranjeras, como sucedería después, pacíficamente, en Estados Unidos; y, en el segundo, expresé mi extrañeza de que una lengua tan conceptual como el alemán —hasta el punto de que, usualmente, en la traducción de los textos de filosofía se deja, entre paréntesis, la palabra original— careciera de los términos adecuados para expresar semejante concepto. Advertí, pues, que la noción de identidad cultural escapaba a la comprensión de los europeos, causaba el malestar de lo desconocido, estaba fuera de lugar. Sucede que la búsqueda de su identidad por parte de un pueblo ocurre tras una colonización, cualquiera que hubiera sido su duración, o cuan-

do se repone de ella con todos los rasgos o lasti-
maduras que, según el caso, le dejó: algo que yo
había descrito con la imagen del hijo del carbo-
nero que se mira por primera vez en el espejo
tras haberse lavado la cara.

No logro concebir la identidad sino en términos de cultura, hasta el punto de que se me
ocurre que la expresión «identidad cultural»,
que yo mismo he empleado, es redundancia
más que reiteración: nada escapa a la cultura, ni
siquiera la noción errónea de raza —cuyos caracteres la alimentación, el ejercicio físico y la gim-
nasia transforman hasta el punto de que puede
afirmarse que el cuerpo es un producto cultural—, ni siquiera el factor geográfico: determi-
nante en la formación y definición de la cultura,
ha sido, a su vez, modificado por ella: basten como ejemplo la doma —también la destrucción—
de la naturaleza y la fundación de ciudades: cen-
tros donde la actividad creadora es más visible
para los demás y donde, en la práctica, suele
confundirse la cultura con cierta noción de bellas artes o de la llamada cultura «alta» o «ilustra-
da» o, más popularmente, «Cultura con mayúscula» o «entre comillas» y, más despectivamen-
te, «cultura con K». De ahí que, para reconciliar-
las, Alain Finkielkraut ha resumido la definición
en los siguientes términos: *«La cultura:* la esfe-
ra donde se desarrolla la actividad espiritual y
creadora del hombre. *Mi cultura:* el espíritu del

pueblo al que pertenezco y que impregna por igual mi pensamiento más elevado y los gestos más simples de mi existencia cotidiana.»[5]

El pueblo al que pertenezco es éste. Había nacido aquí, pero eso pudo no significar nada en mi caso, de modo que a los seis años decidí ser íntegramente ecuatoriano, con lo cual, incapaz de discernirlo a esa edad, intuía que quería asumir su cultura. A ello confluyeron el aprendizaje, en mi escuela, de una lengua y una historia colectivas, y la amistad de los muchachitos indígenas y mestizos de mi barrio, a quienes les pertenecían hereditariamente; yo me apropié de ellas, como un huérfano desheredado. Mi hogar de inmigrantes, frecuentado por inmigrantes, no me había dado nada que se pareciera a lo que adquiría: ni el relato de una sucesión de hazañas que yo habría podido, tal vez, admirar a distancia, ni esa lengua cuya ignorancia lamento desde cuando conocí la riqueza de su poesía. La palabra «nosotros» que, pronunciada por los mayores en mi casa, no me incluía, comenzó a significar para mí esos mocositos descalzos que sustituyeron el juego de «chullas y bandidos» por el de indios y españoles (y nadie quería hacer de Felipillo), y a alguno de los cuales el relato de la captura de Atahualpa hizo llorar en clase, lo que nunca

5 Alain Finkiëlkraut: *La défaite de la pensée*, Paris, Gallimard, 1987. La traducción y las cursivas son mías.

lograron los golpes del maestro. O sea que, habiendo tenido una geografía por derecho, me apropiaba de una historia por necesidad. (Eso significan, para mí, las palabras de Eliseo Diego, cuando dice: «No es por azar que nacemos en un sitio y no en otro, sino para dar testimonio.»[6]) Y mi primer libro —por algo se habrá llamado *Ecuador amargo*— fue mi partida de nacimiento a una literatura que desde entonces sigue recreando nuestro pasado, descubriendo raíces para saber nuestro destino, queriendo adivinarlo leyendo en ellas como en las líneas de la mano del dolido territorio.

No es, pues, de extrañar que me haya ocupado constantemente de estos problemas, hasta el punto de parecerme que es el único, del cual se desprenden los demás. De ahí que ideas y hechos expuestos aquí remitan a reflexiones anteriores que, por la misma razón, resulta inútil precisar ahora. De ahí, también, que no haya sido enteramente placentera la escritura de estas páginas. Quiero decir que hubo, al hacerlo, algo como un sentimiento masoquista, aunque no produjera placer alguno el dolor de vernos como somos, compensado solo por el gozo de vernos como somos. O por la certeza de que reconocer nuestros errores es el único camino para reconocer nuestros valores. Ocurre que en el inven-

6 Eliseo Diego: Palabras preliminares a *Por los extraños pueblos*, La Habana, 1958.

tario honesto de nuestros cromosomas culturales hallo una doble riqueza: nuestra identidad está constituida, en su mayor parte, por factores positivos que olvidamos en el fastidio de cada día, y apunta al futuro, más que al presente. Quizás porque con ese resentimiento recíproco con que negamos la Colonia la perpetuamos, negándonos a nosotros mismos; quizás porque sentimos hoy día que el país se nos desmorona, no sabemos bien por qué, y nos guiamos por el ruido de los trozos que caen o por el hedor de la putrefacción moral y hacia allá volvemos los ojos, señalamos a tientas a los culpables de lo que nos sucede, pero nadie es culpable, menos aún nosotros. Y nos quedamos confiando a ciegas en algún milagro: por ejemplo, que los jóvenes —puesto que solo de ellos puede esperarse una transformación en todos los ámbitos de nuestra vida en común—, al verse en nuestro espejo roto, se avergüencen de esa parte de nosotros que aparece deformada y decidan ser diferentes, mejores, para que diferente y mejor sea la realidad. (En la introducción a otro libro[7], publicado, originalmente, a pocos días de la primera edición de éste, cité un párrafo de Ray Bradbury referido a la literatura, pero que me parece aplicable a cada individuo que honestamente se piensa a si mismo al pensar en el país: «Cada

7 J.E.A.: *Los amores fugaces (Memorias imaginarias)*, Quito, Editorial Planeta del Ecuador, S. A., 1997.

día salto de la cama y camino por un terreno minado. El terreno minado soy yo. Tras la explosión, paso el resto del día juntando los pedazos».)

La única argamasa posible para unir lo que nos queda es la conciencia de un país esplendoroso por su multiplicidad geográfica y humana, lleno de posibilidades que él mismo ignora tal vez por temor o por pereza, y que debe hacerse o seguir haciéndose, «contra su pasado, contra dos localismos, dos inercias y dos casticismos: el indio y el español»[8]. Es decir admitiéndose con lo que encuentra en la búsqueda de su identidad y no supeditando ésta a lo que quiere encontrar: puesto que el espejo no miente, o miente menos que nosotros, no cabe buscar justificaciones a los rasgos defectuosos en lugar de reconocer que no hay otra manera de mejorar la imagen que superando las imperfecciones reprochables de quien se mira.

---

8 Octavio Paz: *El laberinto de la soledad,* México, Fondo de Cultura Económica, 1981. Habla, evidentemente, de México.

SER O NO SER LO QUE SOMOS

Si buscamos en nuestra edad una explicación, no una excusa, a nuestro modo de ser, hallaremos que somos demasiado jóvenes como país: al comenzar el nuevo milenio habremos cumplido 170 años de República, 178 de independencia, 468 de mestizaje. Tan jóvenes que parece difícil acostumbrarnos a nosotros mismos. Bolívar sostenía, hablando de América, que «ni indio ni español», «somos un pequeño género humano aparte». O sea, un caso único en la Historia. Vasconcelos había dicho: «la América española es lo nuevo por excelencia, novedad no solo de territorio sino de alma». Pero, lejos de reconocer como nuestra esa estirpe magnífica, única, nos cuesta admitirla, planteando una disyuntiva en términos étnicos y no culturales: hay quien presume de «noble», por ser descendiente de español. Y si bien es verdad que solo un delincuente se acogió a la real provisión del 30 de abril de 1492, por la cual los Reyes Católicos suspendieron las causas criminales a los que se alistasen en la empresa colombina hasta dos meses después del regreso[1],

---

[1] Francisco Morales Padrón: *Vida cotidiana de los conquistadores españoles*, Madrid, Ediciones Temas de Hoy, S. A., 1992.

también es cierto que «los conquistadores no provenían de la clase alta o dirigente, pues la nobleza no se embarcó [...] Eran hidalgos segundones, artesanos, algunos labradores, marineros, mercaderes, clérigos, oficiales reales y representantes de las múltiples profesiones liberales de aquel entonces», y sin recordar expresamente que, en términos históricos y humanitarios, fueron iguales a «los muchos hombres que en la Europa de entonces —y en la humanidad de siempre— asesinan, conspiran, envenenan, saquean o destruyen.»[2]

El indio está muy lejos de «ser como su burro», según lo concibió Montalvo: ya no se arrodilla ante el médico o el cura, aunque en el campo siga llamando «patrón» al blanco con quien se cruza; algunos, pocos, miran la distancia, no nos ven, no hablan, no responden si preguntamos, no se hacen a un lado para que pasemos (igual que nosotros no los dejaríamos pasar por una vereda o acera si lo pidieran): en suma, no existimos para ellos. Hay razón para recordar un cuento de Leopoldo Lugones, quien decía haber leído, no sabía dónde, «que los naturales de Java[3] atribuían la falta de lenguaje articulado en los monos a la abstención, no a la incapacidad. "No hablan, decían, para que no los hagan trabajar".» Se me ocurre, en nuestro caso, que si-

2 Idem.
3 Borges la adjudicó a uno de sus inventados «tribunos romanos».

glos de experiencia han demostrado a los indios que en cada diálogo con un blanco siempre tienen algo que perder. (Lo mismo, aunque con características de «resistencia viva al contacto colonizador», sucede con otros grupos indígenas, como el de los tagaeri: «Han visto demasiado, han sido constantemente acosados y arrinconados, como para creer en el contacto.»[4]) Gracias a su organización y a sus dirigentes, en un movimiento contra la discriminación de la ley y la justicia, se han convertido en una importante fuerza política, han ido imponiendo su identidad, se diría que sin dudas ni preguntas sobre sí mismos: pese a la diferencia entre huaoranis y saraguros, o entre cofanes y chachis, el verdadero problema para ellos consiste en una lucha constante por hacer que los demás respetemos su cultura y su tierra, que son parte de la identidad. Y ésta tampoco es igual para todos: creo saber que los shuar —que preservan su universo imaginario narrando, durante horas cada día, a sus hijos la historia de la familia, que es la de la estirpe— y que los canelos y quijos —quienes se cuentan por la mañana los sueños que tuvieron en la noche, tal vez para no perder sus símbolos oníricos— solo reconocen por la lengua a los suyos, amigos o aliados, hasta el punto de no considerar como indios a los demás grupos. Lo mis-

4 Felipe Burbano de Lara: «Los Pachucho y los Tagaeri», *HOY*, Quito, 16 de septiembre de 1997.

mo sucede con los achuar, cuyas mujeres ento-
nan cantos mágicos, sin pronunciar jamás la letra. Los indios de la serranía, sujetos de una
transculturación incesante y que, en su mayoría,
incluso resbalan sin resistencia por el despeña-
dero de la aculturación, dan repetidas muestras
de desprecio por el cholo: ya los novelistas del
realismo social retrataban, sin excepción, como
mestizo al mayordomo de hacienda, verdadero
verdugo de los peones... Pero en cuanto se ven
confrontados con la arrogancia del patrón —porque todo blanco pretende ser su amo, en la calle o en la casa, en la hacienda o el mercado—
cuando no se «insolentan» se humildecen: temen al señor, desde los tiempos de la Colonia:
no han sido el centro de difusión de un imperio,
como en el Perú y, hasta cierto punto, Guatema-
la, ni hemos hecho, con ellos, una revolución,
como en México, a fin de que cobráramos, juntos, conciencia de una nación india, que sustituyera a nuestra nación racista. (Durante mucho
tiempo se había insistido, como muestra de
acierto del programa de gobierno, en la necesidad de «incorporar al indio a la cultura», dando
por sentado que la cultura es blanca y, a regañadientes, mestiza, y que el indio no tiene la suya;
de allí se avanzó hacia otro gesto de generosidad: una subsecretaria de Cultura ofreció «llevar
la cultura a las zonas campesinas», sobreenten-
diendo, aparentemente, que la cultura es urba-

bana, pero asumiendo, en realidad, el mismo criterio oficial, puesto que la gran mayoría de indios son campesinos. Es verdad que ha habido, pocos y solo recientemente, diputados indígenas, cuya condición étnica no desaparece, para los racistas, tras la de legislador: luego de una denuncia del diputado indígena Miguel Lluco, el congresista Mauricio Salem dijo: «... esta es otra de las calumnias de Lluco, que, como se le cae el poncho, quiere protagonismo...»[5] Con asombrosa e inusitada diligencia, jamás vista cuando se trata de un «blanco», un juez hizo mantener preso durante un mes al dirigente indígena y ex legislador Luis Macas, antes de que un peritaje grafológico decidiera que el cheque sin fondos por el que se le acusaba había sido falsificado. Un alcalde de Otavalo, invocando risibles y deleznables razones de patriotismo, se empeñó en reemplazar el busto de Rumiñahui con uno de Simón Bolívar, sin que nadie lograra convencerle de que en la historia y en la plaza de la ciudad hay sitio para ambos. Y uno de los principios del Derecho universal —«La ignorancia de la Ley no excusa a persona alguna»— se ha convertido, entre nosotros, en un axioma local de racismo: ¿qué conocimiento de la Ley puede tener una gran parte de la población que no siempre ha aprendido a leer y, por tanto, no siempre comprende la lengua en que se elaboran y promul-

5 *HOY*, Quito, 1 de julio de 1998.

gan los códigos y en la que se imparte la administración de justicia, a menudo feroz?).

Los negros, afincados de preferencia en la Costa, pues habitan también lugares muy circunscritos de la Sierra, como el valle del Chota, siempre han reafirmado su altivez étnica y es curioso que sus mejores escritores —Adalberto Ortiz, Antonio Preciado, Nelson Estupiñán Bass— no hayan adherido al movimiento de la «negritud» que encabezó el martiniqués Aimé Césaire, aunque fue después su crítico más visible. (Compartí algo de ese sentimiento cuando se eligió Miss Ecuador a una hermosa muchacha negra: al día siguiente advertí en la burla la decepción de algunas hermosas muchachas blancas y mestizas y de un grupo de damas que creían representar, ellas sí, a diferencia de la otra, a «la mujer ecuatoriana».) Y, con ese orgullo, tienen algún sentido de propiedad de «su» provincia de Esmeraldas, aunque la disputen, y a veces con violencia, los chachis: antropólogos extranjeros e investigadores ecuatorianos de su folclor han sido testigos y víctimas de un maltrato originado en una suerte de «racismo al revés», que no se ejerce solo contra el «blanco»: hemos visto ya, dolorosamente, enfrentamientos suyos también con indios, como en la proposición de candidatos a magistrados de la Corte Suprema de Justicia, sin llegar a un acuerdo, según la prensa, porque «primaron criterios raciales».

Con ocasión de celebrarse el seminario «Entender el racismo: el caso Ecuador», Jean Muteba Rahier —profesor asociado de Sociología y Antropología y de Estudios Africanos y del Nuevo Mundo en la Universidad Internacional de Florida— señaló que en nuestro país el concepto de la diversidad ha girado siempre en torno a una sociedad blanca y mestiza, poniendo de relieve la identidad indígena, sin tomar en cuenta al negro para el reconocimiento de esa diversidad. (Algo, en el mismo sentido, se había planteado en el Primer Congreso de Mujeres Negras, en junio de 1998.) Agregó que únicamente quienes no han sufrido en carne propia lo que es el racismo pueden afirmar que éste no existe frontalmente: «Mi experiencia en el país, mis conversaciones con la gente negra en Esmeraldas, en Quito, en el Chota, me hacen decir todo lo contrario. El racismo en el Ecuador es de frente. Hay expresiones diarias de racismo en cuanto a los indígenas y a los negros que son impresionantes»[6]. No solo expresiones sino también hechos: ¿se ha promovido a algún oficial negro al Estado Mayor del ejército o de la policía? Inclusive en el deporte, ámbito donde parecerían ser mejor tratados, y hasta privilegiados —entre nosotros, más el fútbol que el box—: a comienzos de febrero de 1999, la prensa se ocupó de denunciar, y no era ésa la primera vez, actitudes

6 *El Comercio*, Quito, 22 de noviembre de 1998.

racistas por parte de los dirigentes respecto de algunos jugadores. El Congreso Nacional de Negros comunicó que iba a expresar su malestar a la Federación Internacional de Fútbol Asociaciado (FIFA), para que el máximo organismo del fútbol mundial destituya al presidente de la Federación Ecuatoriana de Fútbol, Luis Chiriboga Acosta, acusado de haber pedido al técnico Carlos Torres Garcés que "blanqueara" la selección Sub 20.

A diferencia de Paraguay, donde todos, incluyendo una alta burguesía que cree de buen tono ocultarlo, se enorgullecen de ser bilingües y los poetas escriben indistintamente en castellano o guaraní, aquí se interesan en las lenguas vernáculas solo algunos estudiosos. Los intelectuales —los que seguimos buscando raíces que nos expliquen— proclamamos, por todas partes y a gritos, la originalidad de nuestro continente mestizo, conscientes de que la aceptación del mestizaje supone no renegar de ninguno de los progenitores, pero raros son los que han aprendido alguna lengua aborigen y, más raros aún, los que escriben en una de ellas.

O sea que en nuestra sociedad fragmentada, hecha de superposiciones que impiden la conciencia de un «yo tribal» único, estamos muy lejos del *melting pot* de los Estados Unidos, a menos que nuestro país constituya un raro crisol donde las substancias no se funden ni se mezclan. (En un almuerzo en Quito, al hablar yo sobre el mestizaje cultural, el entonces embajador de Ecuador en España me dijo: «De qué mestizaje me está usted hablando: aquí o somos blancos o somos indios». La explicación fue fácil: él y yo llevábamos anteojos, él corbata, y ambos comíamos locro. Su mujer, española, lo entendió mejor. Pero aquí también somos negros, aunque a veces se advierta «esa nostalgia de ser blanco, y esa nostalgia de tener cabello liso y ese esfuerzo perpetuo por ser diferente de tal como uno ha sido creado, esa dificultad de aceptarse a sí mismo [...] y solo contemplaba desde fuera mi propio infortunio, veía lo absurdo de nuestra nostalgia, de nuestro empeño en querer ser distintos de lo que somos...»[7]).

¿Qué somos? Pese a todas las doctrinas sobre la teoría del conocimiento, es difícil, y peor en este caso, diferenciar la realidad objetiva de la percepción de esa realidad. Y lo curioso, más aún en este caso, es que lo que creemos ser rara vez tiene relación con lo que quisiéramos ser: se trata, por lo general, de supuestas comprobaciones desprovistas de esperanza o decisiones. Para la presentación de *Ecuador: señas particulares* en Guayaquil, la profesora Nila Velásquez —quien afirmó entonces, acertadamente, que «existe una fuerte conciencia nacional aunque

7 Max Frisch: *No soy Stiller*, Barcelona, Editorial Seix Barral, Biblioteca Breve, 1958, p. 224.

no estemos seguros de qué somos»— había hecho una averiguación en diversos barrios y grupos, hallando que, según sus interlocutores —y la lista es mucho más larga— somos desordenados, sin memoria, desunidos, valientes, pasivos, inconstantes, aguantones, inseguros, mediocres, chabacanos, acomplejados, espontáneos, pacíficos, trabajadores, solidarios... Con esa misma oportunidad, *El Universo* llevó a cabo una encuesta: «¿Cómo somos los ecuatorianos?» y publicó sus resultados, con el nombre y la fotografía de cada uno de los entrevistados[8]. He aquí las respuestas:

Iván Yépez Balarezo, publicista: «Cómodos, vagos y la mayoría de mentalidad mediocre».

Gustavo Fuentes Hurtado, comerciante: «Somos unos indecentes, ecuatorianos que destruimos y ensuciamos las ciudades».

Guillermo Castillo, pequeño industrial: «Confiados, vagos, inconstantes, descuidados, acomplejados».

Diana Benavidez Núñez, estudiante de odontología: «Somos conformistas, ciento por ciento conformistas; si dejáramos de serlo el país saldría adelante».

Constituyen excepciones Mónica de Frías, profesora primaria que, consciente de su vocación y su tarea, piensa que «somos gente muy positiva que si nos educan con positivismo sali-

8 *El Universo*, Guayaquil, 22 de marzo de 1998.

mos adelante», y Mario Paguay, para quien «los ecuatorianos somos chéveres, cómo más vamos hacer [a ser], mejor que otros países», aspiración o sueño que tal vez tenga algo que ver con su ocupación de vendedor de almohadas.

Pero duele, inquieta y debería hacernos pensar seriamente en nuestro desempeño como padres o como maestros —en una palabra, como adultos— el hecho de que apenas el 44% de niños y adolescentes ecuatorianos están contentos de haber nacido aquí: según una reciente encuesta nacional de Defensa de los Niños Internacional, «el 15% desearía haber nacido en los Estados Unidos, el 9,4% en algún país del Cono Sur y en Brasil, el 7,5% en Europa y el 6,9% en alguno de los países andinos. Así, según este estudio, el 55,4% de la niñez ecuatoriana preferiría haber nacido en cualquier sitio, menos en el país.»[9]

En el espíritu del pueblo al que pertenecemos hay algo como una inseguridad ontológica, un resentimiento latente y duradero que viene de la Conquista: no nos resignamos a ser lo que somos —es frecuente oír la necedad obvia de que seríamos diferentes si nos hubieran conquistado los ingleses, los alemanes, los chinos y, desde hace poco, los coreanos—, convencidos de que no podemos ser, étnicamente, distintos y

9 Milton Luna Tamayo: «Sentido de pertenencia», *HOY*, 7 de febrero de 1999.

que, salvo la pretensión y la prepotencia, nada hacemos para ser mejores que nosotros mismos. Prepotencia, ante todo, verbal: en una expresión de racismo —porque aquí cada uno de nosotros es el encomendero de alguien—, todos, incluidos los propios mestizos, emplean los términos de «indio» (a menudo seguido de «manavali», que no vale nada) ,«runa» (aplicado incluso al perro ordinario), «rocoto» (que intenta una descripción física), «auca», «jíbaro» —y ese «natural» que amo, porque quien lo emplea se califica de golpe a sí mismo de «extranjero» o de «artificial»— y también «zambo» y «cholo» como insulto. Son elocuentes, a este respecto, variaciones del lenguaje tales como «cholear» (tratar a alguien de «cholo»), y «acholarse» por avergonzarse, en cualquier circunstancia, lo que proviene de una «vergüenza de ser cholo». Y, fácilmente, se pasa de «cholo» a «longo», con intención peyorativa: «longo sucio», «longo ladrón», «longo alzado», «longo alevoso», «longo de mierda», «más longo serás vos», «término empleado por los indios para insultarse entre sí, por los blancos para diferenciarse del indio y de lo mestizo andino, por los mestizos para diferenciarse de lo runa.»[10] (Por una asociación de ideas, que resulta evidente por oposición, recuerdo aquí un movimiento paraguayo, todavía en formación, de

---

10 *Longos*, Quito, Ediciones Abya-Yala, Fundación de Investigaciones Andino Amazónicas, FIAAM, segunda edición 1998.

reivindicación del mestizo que basa su autoestima en la antigüedad de su residencia en el país, frente al carácter reciente de las inmigraciones foráneas.)

El concepto de mestizo excluye, por definición, la noción de pureza, reservada al blanco, al indio y al negro, lo que conduce, de no admitirse plenamente como tal, a un innegable sentimiento de inferioridad racial y de violencia. «La utilización sistemática del término [longo] en nuestra vida cotidiana expresa una doble violencia: por un lado, de los ecuatorianos frente a "lo ecuatoriano", frente a lo que somos y a lo que no podemos ser. Y, por otro, revela un juego perverso de construcción de identidad individual y grupal. Constituye un intento por escapar de "lo ecuatoriano" mediante la inferiorización y deshumanización del otro como "longo". Un juego fallido, frustrado, sin embargo, porque quien usa lo longo para discriminar "al otro" también se discrimina a sí mismo, muestra, ya, la presencia de lo longo en su propio ser. La violencia se manifiesta en la imposibilidad de compartir espacios públicos, en un separatismo social y cultural, en una búsqueda esquizofrénica de "distinción y exclusivismo" social, con el único afán de alejarse de lo longo.»[11]

El ecuatoriano, en general —el de la Costa

---

11 Felipe Burbano de Lara, «La condición "longa"», *HOY*, 24 de marzo de 1998.

menos—, adopta, de entrada, una actitud de derrota, casi servil, de «indio» o «longo» en el extranjero o frente a quien le parece superior por
su nacionalidad, su cargo, su dinero: «patrón»,
en suma. Es visible en ese gesto con el cual parecería reducirse físicamente, en el modo de dar
la mano extendiendo apenas la punta de los de-
dos como para retirarla con miedo, en la mirada baja de quien se siente culpable de ser, o en
el intento de superar ese sentimiento «sacando
pecho» y levantando la barbilla (y así entra en
un avión, en un teatro o en un restaurante), en
silencio cuando está ante una persona, ruidoso
si se halla en un lugar público. ¿A dónde fueron
a parar su patriotismo de pacotilla y su supuesto orgullo de ecuatoriano si se supone que está,
sin querer, representando a su patria, como debería estar cada uno de nosotros en cada momento de nuestra vida? ¿Qué se hizo su desplante de matasiete por el cual es capaz de batirse a
puñetazos si alguien pone en duda su hombría,
menos importante que su nacionalidad? (En
cambio, como compensación o como súbita
afloración de un orgullo nacional intermitente,
en los chistes en los cuales el ecuatoriano, como
arquetipo nacional, aunque a veces tenga rasgos
regionales, entra en competencia o rivalidad
con extranjeros de cualquier país, y mientras
más poderoso, mejor, siempre aparece como el
más inteligente, el más «vivo», el más ingenioso

en su burla y, a la larga, el que vence a los demás.[12])

El escritor norteamericano Albert Franklin, quien visitó Ecuador en 1944, anotaba que en Quito «la "gente decente" forma un grupo fácil de definir. La manera mejor y más justa de hacerlo, es decir que el grupo se compone de todos los individuos que acostumbran manifestar de tiempo en tiempo "La gente decente no hace eso", o "Después de todo, somos gente decente". Esta gente está muy bien definida, aunque no con respecto a su posición en la sociedad, porque se la encuentra por todas partes, excepto en los lugares más bajos de la escala social. "La gente decente siempre usa zapatos".»[13] Es posible que quienes no los usan, y quedan pocos y están en su mayoría en el campo, no aspiren a verse incluidos en la categoría de «gente decente»; tampoco sabemos qué opinión tienen de ella. Aunque subsiste en determinados círculos, esa expresión ha sido reemplazada por «gente bien», que comprende una nueva connotación, referida no solo a la clase social sino también a la calidad moral. Pero no me atrevería a afirmar

12 Igual sucede, supongo, en todos los países de América Latina. Abel Prieto lo señala, en el caso de Cuba: *El humor de Misha. La crisis del «socialismo real» en el chiste político,* Buenos Aires, Ediciones Colihue, 1997.

13 Albert Franklin: *Ecuador, retrato de un pueblo,* Buenos Aires, Editorial Claridad, 1945, tomado de *Quito según los extranjeros,* Quito, Centro de Estudios Felipe Guamán Poma de Ayala, 1996.

que entrañe una división en virtud de la cual hubiera «gente mal», por razones de discriminación económica o racial. Pues sucede que, entre nosotros, las dos coinciden, porque son visibles. En países de gran uniformidad étnica —los de Europa, Estados Unidos, Japón...— resulta imposible adivinar si quien hace compras en un supermercado es la dueña de casa o su empleada o si la muchacha sentada junto a nosotros en el cine es cajera de una tienda por departamentos o figura de la televisión. Aquí, en cambio, sabemos bien cuál es la sirvienta y cuál la señora, quién el banquero y cuál su portero, si se trata de una secretaria ejecutiva o es solo una «chullita», a la que con ese nombre atribuimos, con notoria y gratuita mala fe, un dudoso comportamiento sexual.

Del Informe Investigación Cualitativa realizado para el Municipio del Distrito Metropolitano de Quito en abril 1997, entre seis grupos de enfoque —jóvenes varones y jóvenes mujeres, adultos varones y adultos mujeres, y profesionales y niños— de clase media alta de los barrios del Sur, cabe recoger algunos datos elocuentes: todos se reconocen como mestizos: «la mayoría se ubican a sí mismos, a su familia y sus amigos como un poco más blancos que casi todos los quiteños, pues tienen menos sangre india que el resto»; todos afirman no ser racistas: «Mis padres, los de más edad, son racistas, no yo», pero

«Los blancos son más bonitos que los indios, son altos, de piel blanca, rubios, de ojos claros, rasgos finos»; los indios son «más valientes, más honestos, más trabajadores que los blancos» (¿son, así mirados, los últimos especímenes sobrevivientes del buen salvaje?). «El problema es cuando vienen a la ciudad y se mezclan, porque de ahí nace el longo, que es una mala mezcla. El longo es de lo peor, es acomplejado, ladrón, hipócrita, alzado, pretencioso, machista y se cree blanco.» Prácticamente todos los adultos han sufrido alguna vez la discriminación de ser «hispanos» en Estados Unidos y «sudacas» en España. Por último, y es acaso lo que más duele, se consideran físicamente feos. Dice una muchacha: «No me gusta cuando me veo en el espejo, pero no se lo digo a nadie... o me pinto el pelo.» «Las indias sí son bonitas porque son sumisas y naturales. No se pintan. Algunas son muy bellas, hasta parecen blancas.» La belleza es, pues, por definición, blanca, según el modelo introducido aquí, y ya para siempre, por Europa (un matrimonio mestizo, de la provincia de Imbabura, lamenta el hecho de que, de sus tres hijas, la única con ojos verdes sea la más morena). Semejante convicción no se hallaría, por lo general, entre los negros, de la Costa o de la Sierra, como se advierte en la altivez de algunas muchachas de Ibarra: sus rasgos somáticos contribuyeron a crear un mestizaje cuya belleza física es exhibida y ensalzada orgullosamente en Brasil y Cuba, por ejemplo.

Una muestra más de ese sentimiento de inferioridad, en escala nacional y ya no de un grupo determinado, se halla en la tendencia a atribuirnos, como si fueran rasgos de una identidad múltiple, los que solo pertenecen a un individuo tomado aisladamente. Miguel Donoso Pareja ha reunido, en una suerte de antología dolorosa, algunas citas de escritores extranjeros relativas a algún ecuatoriano, y de diversa clase social. Solo Régis Debray habla de un grupo cuando dice: «Habrá que unirse con los colombianos, ir a despertar a los del Ecuador». Ignoro de qué contexto ha sido extraida la frase, pero es posible que se refiera a indios o a combatientes. He aquí la lista:

«...y una ecuatoriana, que había sido dama de alto vuelo en Quito, organizó aquí una huelga de piernas cerradas. Se llamaba la Monosabia.» (Eduardo Galeano). «El Ministro de España, distraido en un flirt sentimental, paraba los ojos sobre el Ministro del Ecuador, doctor Aníbal Roncali: un criollo muy cargado de electricidad, rizos prietos, ojos ardientes, figura gentil, con cierta emoción fina y endrina de sombra chinesca.» (Valle Inclán). «... un académico ecuatoriano de dos apellidos y la consabida y entre ambos» «que trataba de demostrar que Jorge Luis Borges es un joven expósito de la más rancia nobleza polaca.» (Roque Dalton). «Noche de Quito, tus indios no se ven, no hay espejo ni sombra que les dé vida. Subimos al techo del mundo y la ciudad es el alma en penitencia, el complejo de la culpa, de la memoria.» (Lavín Cerda)[14].

No cabe siquiera preguntarnos si dimos motivo: esos individuos son claramente compatriotas, cada uno de ellos tiene alguna de nuestras señas, pero no son particularmente ecuatorianas hasta el punto de que no pueda atribuírseles otra nacionalidad: ¿no circulan chistes y burlas similares y aún más graves sobre los belgas en Francia y Suiza, sobre los pastusos en Ecuador, sobre los bolivianos en toda América? Lo que debemos preguntarnos es por qué nos duele, por qué aceptamos la descripción como retrato o como caricatura. Y que nadie responda con la argumentación tonta de que es por patriotismo. (Cuando, a los 22 años de edad, Marcel Proust se puso de acuerdo con tres de sus antiguos compañeros del liceo para escribir una novela epistolar, le tocó encarnar el papel de la heroína, Pauline Gouvres Dives. En una carta a su padre, ésta dice: «La princesa d'Alériouvre ha dado anteayer una comedia estúpida en su casa. Nunca he visto, además, tantas caras antipáticas, tontas y vulgares. Todo México y Paraguay

14 Miguel Donoso Pareja: *Nunca más el mar*, Quito, El Conejo, 1982, pp. 155-159

debían estar allí.» Ni Proust ni el personaje estuvieron jamás en esos países, así menospreciados en su totalidad. Que yo sepa, nadie protestó por ello, pero tampoco sé cuántos mexicanos o paraguayos lo saben.)

Ese sentimiento de inferioridad, generalmente mestizo, es más grave cuando se resuelve en la negación del ser, por sí mismo o por comparación. Octavio Paz recuerda que una tarde, como oyera un leve ruido en el cuarto vecino al suyo, preguntó en voz alta: «¿Quién anda por ahí?» Y la voz de una criada recién llegada de su pueblo contestó: «No es nadie, señor, soy yo.» Debió haber sido en voz baja para pasar inadvertida, no ser nadie, no existir, porque así es más fácil evadir la humillación, el engaño o el golpe. Incluso el destino. Cuando, por cortesía más que por curiosidad, se le pregunta a alguien cómo está, la contestación es vaga, evasiva, temerosa: «Ahí, pasando», «Regular», «Más o menos», «Aquí...». En el mejor de los casos, la respuesta es un «Bien...», dubitativo, tímido, alargado a fin de sugerir un complemento que lo disminuya o de restarle validez, con la sospecha de que puede parecer pedantería o el temor de herir a quien está «mal» o «así no más» o «regular». A alguien, que en respuesta dijo «Muy bien», su interlocutor, extrañado, le preguntó por qué. (Cabría, quizás, una reflexión: si yo estoy bien y tú estás mal, hasta habría lugar para la ayuda;

pero si yo estoy mal y tú estás bien, puede instalarse la envidia. Mejor, pues, es estar los dos mal.) La actriz Charo Francés cuenta de un mendigo quiteño, sentado a la puerta de una iglesia por la que pasa a diario a su lugar de trabajo. Al mendigo le falta una pierna, permanece en el suelo con la mano extendida, incluso bajo la lluvia. Pero cuando el marido de la actriz, el autor y director de teatro Arístides Vargas, le pregunta cómo le va («pregunta bastante inadecuada», dice ella), invariablemente contesta, con una suerte de elegancia, dignidad o recato: «¡Corrientito!». Hay también, quizás objetiva, y hasta optimista, otra fórmula: «Aquí, aguantando...», en la Sierra, o «Aquí, luchando...», frecuente en la Costa, a la que, tras una breve pausa, se añade para completar el sentido: «...con este país». Evidentemente, todo es culpa del país, como ente abstracto, ajeno a nosotros: «este país» no es «mi país». «Este país es una barbaridad», «Este país es una locura», dicen empresarios o industriales ecuatorianos a sus colegas extranjeros, en el bar de un hotel, para explicar el fracaso de alguna negociación, a menudo oficial. «Este país es una mierda», decimos cada lunes y cada martes: «país» significa, entonces, el gobierno, el Congreso, los tinterillos, amanuenses y jueces, los comerciantes, los choferes de autobús, el policía, la dirección de rentas, el oficial de turno, el servicio de correos, el de electricidad y agua potable, el tráfico urbano e inter-provincial, las empresas de aviación... Es posible que esa sea la verdad, la realidad de todos nosotros: «Aquí, aguantando». Pero yo, ¿de dónde soy, en dónde estoy? Si alguien nos dijera que no pertenecemos a «este país», o que «este país» no es nuestro, le romperíamos el alma a patadas. Pero nosotros mismos nos excluimos para poder quejarnos: el país son los otros, los demás, lo que está mal, aunque a nosotros mismos nos fastidia el quejumbroso. De ahí que no se pueda decir: «Bien, muy bien»: con eso se podría «tentar a la suerte», ser castigado. En Brasil nadie averigua cómo está uno, sino que la pregunta es ya una afirmación: *«Tudo bon?»* Y la respuesta, inevitable, lo confirma: *«Tudo bem»*. En los Estados Unidos, donde el éxito no solo es desafío a sí mismo, sino meta y casi símbolo de toda una civilización, la expresión *«You are a looser»* ("Eres un perdedor") constituye una manifestación despectiva, insultante; entre nosotros, en cambio, parecería un retrato, una definición: no te ven, no existes, no decides, no puedes estar simplemente bien, sino «Bien, no más», como quien dice «pero...», para no excederte. (Y nuestra predilección por esa conjunción adversativa —que indica oposición, restricción, objeción y requiere, por tanto, una frase previa— es tan grande, que la empleamos incluso cuando no hay una afirmación precedente: «Pero qué linda estuvo la muchacha, ¿no?») Y si, cuando te preguntan como éstas contestas: «Aquí, sobreviviendo», indicas dónde y cómo. Porque eres individuo, no ciudadano, excepto cuanto pagas — más bien, cuando te descuentan, que es la única manera segura de hacer que pagues— tus impuestos, porque es muestra de «viveza» evadirlos y de estupidez pagarlos, puesto que nadie te obliga ni castiga (y ya estás ingeniándote cómo hacer con los que vayan a crearse) y cuando te llaman a votar por obligación. Y, a la larga, pierdes.

Como reacción, quizás inconsciente, o como revancha, hay un negarse débilmente a la inexistencia. Cierta ocasión debí ver al Director del Registro Civil, por algún asunto de su cargo. Subí unas escaleras por las que apenas puede pasar una persona, entre dos hileras de mujeres humildes, sentadas días enteros en los peldaños, con sus hijos, entre restos de comida y orines. Lo encontré mientras trataba de explicar a un hombre del campo las consecuencias de que su nacimiento no hubiera sido legalmente inscrito. El otro no comprendía. «Es como si no hubiera nacido», le dijo. El hombrecito, entristecido, seguía sin comprender, por lógica o por experiencia. Decir que tuve la impresión de que en ese instante recordaba su vida no sería exacto: pensé que debía recordarla para probarse a sí mismo que había nacido. Salió de su ensimismamiento cuando la autoridad, como último recurso, utilizó otro símil: «Es como si no existiera, como si hubiera muerto.» A lo que el pobre hombre respondió: «Si hubiera muerto, ¿por qué le negaría?» No ser, ser nadie, ninguno, «ninguneado» cada día, pase: ése es su modo de ser. Pero ¿muerto, como si no existiera o como si nunca hubiera sido ni siquiera lo que fue?

Sin embargo, hay momentos, y son frecuentes, en los que el yo despedazado por los demás se recompone inconscientemente. No lo hace con premeditación, como si se desquitara: es instintivo. Cuando llamamos a la puerta y alguien pregunta quién es, respondemos, simplemente, «Yo». No se trata, en cada ocasión, de suponer que esa breve emisión de la voz basta para que nos reconozcan: soy «yo», quién más podía ser, yo y nadie más, ningún otro con el que puedan confundirnos. De ahí que nadie considere necesario identificarse con su nombre: «yo» es huella digital sonora, mía, única, irrepetible. «Yo», señal de que existo, dentro o fuera del Registro Civil. (Otra de las maneras con que el yo suele afirmarse es la que precede a la riña callejera o de cantina, frente a desconocidos: «Yo», tampoco entonces necesita un nombre para identificarse: basta con levantar la cabeza, señalarse con ambas manos a sí mismo: «Yo» existo, y de ello dará prueba el primer puñetazo.)

Se trata de no pasar inadvertido, de existir,

aun cuando fuera ocasionalmente, mediante tristes comportamientos de represalia: el del portero de una dependencia que con tenacidad trata de impedir el ingreso del público, quizás «por orden superior» pero con innegable y súbita seguridad en sí mismo; el del pagador oficial que entrega a los empleados su salario, como si fuera una limosna dada con dinero suyo; el de tantos funcionarios oscuros y tristes, en oficinas tristes, oscuras, húmedas, sucias, llenas de polvo, papeles inútiles y humo de cigarrillo, todopoderosos intermitentes, puesto que cada uno de los individuos que van a verlos necesita de ellos: comportamiento de resentimiento y agresividad frente al cual el ofendido adopta una actitud de indiferencia o de conmiseración. Así, al paso de la franqueza a la insolencia, opone uno que va de la cortesía al servilismo. Individualmente hablando, porque la protesta en grupo, sindical o barrial, provincial o de gremio, feroz e irreflexiva a veces, es diaria, continua, consabida y termina desbaratada por el poder o, con relativa frecuencia, obteniendo del poder lo que reclama, porque entonces se invierten los papeles: la autoridad, despótica y altanera, se ablanda —habría querido poder decir «humaniza»— por conveniencia o miedo, aunque resulte perjudicial para el país.

Hay también un «querer ser» importante, diferenciado, que se manifiesta a nivel local: entonces la alabanza en boca propia ya no resulta vituperio. No fueron los parisienses ni los romanos quienes llamaron Ciudad Luz y Ciudad Eterna a la suya, y, entre nosotros, otros fueron quienes describieron a Quito como «Escorial —o Florencia— en los Andes»; nosotros preferimos «Luz de América», metáfora que la historia justificaba; pero ¿«la Cara de Dios»? Y en ese mismo orden, «Perla del Pacífico», «Sultana de los Andes», «Atenas del Ecuador», así bautizadas por sus propios habitantes, pueden constituir ridículas expresiones de amor a la ciudad natal que, en otros aspectos y cada día, destrozan, y también vanagloria. Y hay un «querer ser», que resulta ridículo, por imitación de otros modelos, claro que ajenos, puesto que se trata de hundir la cabeza entre los hombros para que no se nos vea como país. La admiración a cuanto es extranjero, lejos de inducirnos a adoptar lo que puede servirnos, nos lleva a renunciar a lo nuestro, con un sentimiento de inferioridad, casi avergonzados, como quien poniéndose en puntas de pie pretendiera ser más alto que el interlocutor. Un cambio de identidad, que opera en ambas direcciones y por ello parece más flagrante, se repite en las parroquias rurales mestizo-indígenas de la Sierra austral, dado el número de migrantes que regresan de Estados Unidos: hay ahora «reinas» —nada impide suponer que, a ese ritmo, dentro de poco sean Miss Callasay o Miss Jatumpamba—, vestidas de *nylon* o de seda (pronto puede ser, pese al clima, en traje de baño) que desfilan por el exiguo centro de la parroquia en carros alegóricos. Para los que regresan, algunos solo por vacaciones, la fiesta ya no les pertenece, no participan en ella: es algo folclórico que fotografían, extraños en su propio pueblo, en vídeos que mostrarán cuando vuelvan a sus compatriotas o amigos de «allá». El joven migrante, ya no es de aquí ni es igual al que se fue: uno, de vuelta a Chordeleg expresó: «Voy a comprarme un Trooper, porque hasta los indios del barrio tienen.»[15] Y sucede, incluso, en regiones donde se creería que la penetración cultural extranjera es menor o que tropieza con dificultades, como la selva: a un grupo de niñas achuar, el padre Domingo les pidió que representaran a «la mujer achuar moderna»: solo una dibujó una mujer con el rostro pintado de achiote; las demás hicieron monigotes femeninos, con faldas estrechas y tacones altos: la selva no constituye un obstáculo para la televisión. (Y no se trata solo de individuos: en 1991 la prensa informó que las «fuerzas vivas» —¿hay fuerzas muertas?— del cantón Limón Indanza, contando con la solidaridad del gobernador de la provincia, se declararon en paro indefinido y pidieron la destitución del prefecto porque por error se

15 Patricio Carpio Benalcázar: *Entre pueblos y metrópolis,* Cuenca, ILDIS-Abya Yala, 1992.

coronó Reina de la Amazonía[16] a una muchacha que tenía un punto menos que «la Soberana legítimamente elegida».)

Risible o ridículo a nivel parroquial —esa vez me alegré de que García Márquez hubiera puesto el nombre de Macondo, y no el de una de esas poblaciones[17], al lugar donde transcurren los hechos y viven los personajes de *Cien años de soledad*—, ese «querer ser» a la fuerza, de modo ocasional y fácil, porque no va unido a la «voluntad de ser», se manifiesta tontamente, a nivel nacional, cuando para consolarnos o valer más recurrimos a la comparación. En busca de alivio a la pena, afirmando que «lo que nos sucede a nosotros no nos sucede solamente a nosotros: basta ver cómo está México», a lo cual el pueblo ha respondido, hace siglos, diciendo que «mal de muchos es consuelo de tontos». En busca de una supervaloración, mediante la teoría y práctica de la balanza, citada por mí en muchas ocasiones: puesto que requiere mayor esfuerzo aumentar el peso de nuestro platillo, más vale disminuir el peso del platillo ajeno. Entonces, en lu-

---

16 Conservo la forma acentuada de la palabra por respeto al uso.
17 O el de Manta, donde la sandez regionalista llegó a extremos similares, cuando se «improvisó una manifestación de desagravio», a su llegada al aeropuerto local, a una muchacha manabita que ocupó el segundo lugar, tras una quiteña, en un certamen parecido en abril de 1999. «"Este es un homenaje de desagravio para una mujer como Sofía, quien para nosotros es la Miss Ecuador [...] Esta es una demostración del regionalismo que persiste en el Ecuador", afirmó el alcalde socialcristiano.» (*HOY*, 22 de abril de 1999.)

gar de esforzarnos por ser mejores de lo que somos, por dejar de ser «este interesante país su-
mido en el silencio de su destrucción indolente»
—como nos vio el primer embajador de Estados
Unidos en 1860—, escogemos países a los cuales, no sé por qué —¿superficie, población, subdesarrollo, miseria?—, consideramos como infe-
riores a nosotros, para establecer el parangón. Y
todos ellos podrían mirarnos por sobre el hombro: Bolivia, por haber reducido su inflación de
5.000 por ciento a un porcentaje mucho menor
que el de la nuestra; Costa Rica y El Salvador
por haber elevado la educación a asunto de Estado; Paraguay, por haber sabido alimentar la
satisfacción de ser lo que es como nación sin establecer comparaciones con nadie; o América
Central por haber desarrollado su propia gober-
nabilidad hasta el punto de adoptar una acerta-
da política económica que comprende a todos
los países de la región, frente a nosotros, que no
hemos sido capaces de concebirla aquí para uno
solo. Y ya que estamos en esto, ¿por qué no buscamos bien, para no equivocarnos y salir perdiendo, y nos medimos, honestamente, con países africanos despedazados por el hambre, la
guerra, las rivalidades tribales, los vecinos, el gobierno: por qué no Zaire o Ruanda, por ejemplo? A menos que nos baste saber que, a juicio
del Grupo de los Siete (o G-8), Ecuador no reúne las "características requeridas" para ser con-

siderado entre las naciones más pobres. Aunque hubo quienes —entre ellos algunos diputados— reprocharon al gobierno no haber presentado internacionalmente al país como pordiosero.

DE LA NECESIDAD DEL HEROE A LA DESTRUCCION DEL MITO

Creo que no tuvimos el comienzo que habríamos querido. Me refiero a los que aún andamos averiguando de dónde venimos para saber quiénes somos, suponiendo que, hechura de la historia, yendo hacia atrás se pudiera cambiar la realidad en la que estamos presos.

Es relativamente reciente el descubrimiento de que aquí hubo, no una «Confederación quiteña», de la que han hablado algunos historiadores, sino un sistema de «cacicazgos» o «señoríos étnicos», característica de los Andes septentrionales en la época inmediatamente anterior a la invasión incásica. Eran curacazgos dispersos: no hubo aquí nada equivalente, aunque fuera de menores dimensiones, a lo que tuvieron mayas, aztecas, incas... (Nos libramos, por lo menos, de la tortura del origen distante: la antropofagia que los cronistas españoles nos adjudicaron en lo que sería Mesoamérica, aunque uno de ellos, refiriéndose a la crueldad de la Conquista, se preguntaba qué era peor: si el canibalismo con cadáveres o la devoración de seres vivos.) Es difícil para nosotros, los ecuatorianos: en los primeros mapas de lo que luego iba a llamarse América nuestro territorio aparece como una provincia grande y desarrollada, que contenía en su suelo culturas que, a juzgar por sus vestigios, aún hoy asombran, como las de Valdivia —sin parangón en ese periodo de América—, La Tolita, Chorrera, Jama-Coaque.... Y era una provincia rica: exportaba, desde 3000 a. C., la concha bivalva spondylus, que fue considerada alimento de los dioses y que constituye la base de los preciosos ornamentos del Gran Señor de Sipán, cuya tumba fue descubierta, en el norte del Perú, hace apenas un decenio.

Vino luego la conquista incásica. (Cincuenta años después, los españoles encontraron aquí las últimas anexiones territoriales de un Estado expansionista que se había establecido en la franja occidental de la *America Meridionalis,* al cual, empleando, por analogía, un término que ellos conocían bien pero que no se ajustaba a la realidad de acá, llamaron «Imperio».) La resistencia a los incas debió haber sido tenaz y, el conquistador, feroz: historia o leyenda, lo atestigua el nombre de Yaguarcocha, «Lago de sangre», dado al sitio de la última batalla. Pero buscando un momento preciso donde situar el comienzo de nuestra identidad, son mayoría quienes juzgan con cierta complacencia algunos hechos sucesivos de entonces: la paz sellada por

Huayna Cápac entre los brazos y las piernas de la princesa quiteña Pacha, el establecimiento de Quito como asiento secundario, después del Cusco, de su gobierno, el nacimiento de Atahualpa y, poco antes de la llegada de los españoles, la victoria de su «hijo predilecto» sobre Huáscar, concebido dentro de la ley, en su hermana. Curiosamente, en ese momento de la conciencia histórica no se advierte un rechazo de esa conquista teocrática y militar como de la que vino más tarde: parecería argumentar que éramos más o menos los mismos, que aquí no había naciones todavía, de modo que no fue propiamente una conquista, como la de los españoles, extranjeros, distintos... Pero no hay certeza de que la celebración de las cosechas se asemejara a la adoración al Sol de los incas, ni que todos los curacazgos tuvieran igual forma de autoridad o gobierno, ni instituciones similares. En cuanto a la lengua, el actual quichua del norte difiere del que se habla en el sur, lo que probaría el traslado a nuestro territorio de grupos mitimaes: cuando la Casa de la Cultura Ecuatoriana publicó en 1955 el *Diccionario Quichua-Español*, de Luis Cordero, los «errores», que no lo eran, fueron señalados por estudiosos de la provincia de Imbabura. (La tenacidad con que algunos estudiosos tratan de probar que antes de la conquista incásica se hablaba quichua en nuestra Costa —de lo que daría fe el nombre de «huancavilca»—, es más bien reciente.)

De la conquista española —verdadera fractura de la historia, de sustitución de una lengua por otra, de una religión por otra, de un sistema de explotación del suelo y del hombre por otro, con el establecimiento de virreinatos y la fundación de ciudades, cabildos, escuelas, hospitales...— nos defendemos aún ahora, a más de siglo y medio de la emancipación. Nadie ha podido condenar a Atahualpa por haber pactado con quienes le apresaron, robaron y asesinaron tras la farsa de un juicio legal. Más grande, por heroica, sería la figura de Rumiñahui, verdadero inventor de la guerrilla, el igual de Cuauhtémoc y de Lautaro o de tantos otros cuyos bustos adornan el redondel de la Plaza Indoamérica de Quito. Su «ferocidad» —haber hecho matar a todos los miembros de la familia de Atahualpa, para que ninguno de ellos le disputara el hipotético poder que habría tenido tras una imposible victoria, enterrar la parte del rescate que aún no había llegado a Cajamarca, dar muerte a unas Vírgenes del Sol a fin de que no pudieran acostarse con ellas los invasores («no ser colchón de tanto bellaco» habría dicho Lope de Aguirre a su hija), incendiar Quito...—, real o inventada como justificación por los historiadores que acababan de llegar a nuestra historia, crueldad o táctica desesperada, combina bien con el hecho de haber sido, a su vez, derrotado, torturado y ma-

tado. Y, tal vez porque no tuvimos dioses con figura humana y necesitamos del héroe más que
otros y no tenemos muchos, para nosotros el héroe no es forzosamente victorioso. Y no nos inquieta saber dónde está su tumba: más nos interesa, como a los conquistadores, conocer el lugar donde ocultó el tesoro del rescate.

Luego fue el largo periodo de la Colonia. Za-
randeado nuestro territorio —Villa de Quito, Go-
bernación de Quito, Capitanía General de Quito, Presidencia de Quito, Real Audiencia de Quito—, adscribiéndolo al Virreinato de Nueva Gra-
nada o al Virreinato de Lima, en esos siglos fue
forjándose a diario, y a martillazos, nuestra cultura indohispánica: la que surgió de la implanta-
da por la fuerza y por el mestizaje étnico, que
debió haber comenzado en América la noche
del primer desembarco, en la matriz de las culturas aborígenes que la recibía. Mucho de cuanto vale en la cultura de nuestro país, comenzó
siendo obra de mestizos. Podrían enorgullecer-
nos la revolución de las alcabalas, la revolución
de los estancos o de los barrios de Quito (¿es la
necesidad de contar con una revolución lo que
nos ha hecho llamar así a lo que no fueron sino
movimientos de protesta, sublevaciones del descontento?). Bastarían para nuestro contentamiento esos momentos cumbres de la arquitec-
tura religiosa mestiza donde se juntan el talento
creador hispánico-mudéjar con la habilidad ar-

self-sufficient(?)

tística, no solo artesanal, de los albañiles, talladores y escultores indígenas. Debería bastarnos la «escuela quiteña» de escultura y pintura: hay quienes han pretendido negar su existencia diciendo, igual que de las «escuelas» de Lima o de Popayán, que no eran sino talleres de imitación del arte peninsular o flamenco, pero algo de original debe haber allí, puesto que las obras salidas de una de ellas se diferencian de las trabajadas en las otras. Esa «originalidad» —aun cuando se redujera a la concepción sangrante de lo divino lacerado por lo humano— se la debemos a artistas como José Olmos o Pampite, Manuel Chili o Caspicara, Miguel de Santiago, Bernardo de Legarda... No importaba que fueran indios o mestizos: dada la indignidad social que entrañaba el trabajo manual, los representantes de la autoridad colonial aprovechaban la habilidad de artesanos y artistas locales —eran rentables, sus obras se vendían en la corte y en la Iglesia— y los admitían en las escuelas de arte[1]. No así en aquellas donde se aprendía a leer y escribir: de ahí que resulta doblemente grande e insólita la figura de Chuzig: el nombre, en exceso largo y pomposo, de Francisco Eugenio Javier de Santa Cruz y Espejo con el cual escapó del «libro de los indios», es símbolo y demostración de un sistema en el cual los aborígenes no tenían posibi-

---

1 Recientemente, los pintores indígenas de Tigua han expuesto con éxito en Francia y en Italia, hecho insólito inconcebible hace unos diez años.

lidad ni derecho de elevarse desde la gleba hasta la educación. Y, en su caso, hasta mucho más arriba: sus descubrimientos científicos sobre las bacterias, su actividad literaria en el primer periódico del país, su participación en las asociaciones libertarias que conducirían a la emancipación política...Y, como corolario de todo lo anterior, debería sernos suficiente la altivez de haber sido Quito «Luz de América»: el primer territorio que proclamó su independencia. (Cabe recordar, con orgullo nacional, que la palabra «independencia» —que en la Enciclopedia de D'Alambert y Diderot figura como «el término que los hombres se proponen sin lograrlo jamás»— comienza a tener una acepción política cuando América se emancipa, o sea que es también una invención nuestra, y solo entonces empezó a figurar como tal en los diccionarios de todas las lenguas, volviendo concreto con nuestro ejemplo un término hasta entonces vago.)

Terminadas las campañas de Simón Bolívar, con su ejército en andrajos cruzando los Andes, y de Antonio José de Sucre echando de nuestro territorio al ejército español derrotado en la Batalla del Pichincha, entramos a formar parte de la Gran Colombia, primera etapa del gran sueño del Libertador: la unidad de América. Y, confiados a sus enemigos los territorios que la integraban, a su muerte se desagregó, junto con su cuerpo, la utopía: llegamos a ser República del

Ecuador, entregada a Juan José Flores, casi como una hacienda en pago de sus servicios. Fue el 11 de septiembre de 1830; nuestra primera Constitución Política se promulga el 23. Ni siquiera lo recordamos: no lo saben los maestros de escuela, de modo que lo ignoran los niños. Nuestro certificado de nacimiento como país no tiene fecha en la memoria colectiva.

Entonces —en lugar de llamarnos, como era históricamente justo y coherente, República de Quito—, para no disgustar a Guayaquil ni a Cuenca, comenzamos a llamarnos Ecuador: nombre disparatado, digo yo, porque a ningún Estado se le ha ocurrido llamarse nunca «Meridiano» o «Paralelo 42» o «Trópico de Cáncer». Nombre, además, extraño a nuestra tradición cultural ya que surge «a espaldas de la realidad histórica y como una identificación geográfica hecha por extranjeros a una circunscripción histórico-territorial que tenía nombre propio antes de la colonia: "Quito"». Lo dice Manuel Espinosa Apolo, quien añade en una nota: «"Quito" parece haber sido la denominación del actual Ecuador, independientemente de la existencia del mítico Reino de Quito al que aludiera [Juan de] Velasco. Muchos son los indicios históricos que conducen a esta conclusión, por ejemplo los testimonios recogidos por los cronistas españoles del s. XVI. En ellos se indica que "Quito" fue el nombre con que los cañaris y luego los quechuas conocían a la región que se extendía desde Cañaribamba hacia el norte. El nombre de "Quito" parece ser una palabra quechua arcaica, que sobrevive aún en el dialecto cusqueño, con el significado de "tórtola" [...], ave que abundan [sic] como en ninguna otra región en el centro norte de la región interandina ecuatorial. Por otra parte, "Quito" podría provenir de otra palabra quechua arcaica consignada en el diccionario del mismo González Holguín, escrito a inicios del s. XVII, esto es, la palabra "Quiti", que se traduce como provincia, comarca, contorno, circuito y hueco.»[2]

Territorio al principio poblado, como muchos de América, por grupos étnicos dispersos; luego, el que por su situación geográfica atrae a los conquistadores como base estratégica —su proximidad al territorio de los chibchas para los incas, su ubicación como parte considerable del imperio inca para los españoles y hasta la ocupación de las islas Galápagos por Estados Unidos durante la Segunda Guerra Mundial—; tironeado, de arriba abajo, durante trescientos años entre los representantes de la Corona española; integrado a una república federal durante once años; independiente desde 1830, nuestro primer presidente fue un venezolano. ¿Es ése nuestro comienzo? ¿Es la falta de raíces conscientes

2 Manuel Espinosa Apolo: *Los mestizos ecuatorianos y las señas de identidad cultural*, Quito, TRAMASOCIAL editorial, s/f, p.196.

más hondas o más antiguas lo que hace que seamos como somos?

Nostálgicos de que no hubiera existido ese Reino de Quito en cuya Historia nos hizo creer tanto tiempo el padre Juan de Velasco —y que continúa haciéndose creer a los niños en la escuela como parte de su formación patriótica—[3], no recordamos que la unidad nacional, o algo que se le asemeje, tardó siglos de batallas y de esfuerzos teóricos para concebirse como concepto y crearse como realidad en muchos países del mundo entero: dejando de lado los diversos imperios de los «señores de la guerra» en China, más cerca de nosotros, en Italia, por ejemplo, la unidad se logra apenas a fines del siglo XIX; en Francia se funda la República en 1792, pasa a ser Consulado e Imperio, se la establece nueva-

3 Jorge Salvador Lara presentó al Congreso Ecuatoriano de Historia'98, celebrado en Quito en noviembre de 1998, una ponencia titulada «El Reino de Quito según los relatos, crónicas y cartas del descubrimiento y la conquista: 1527-1580», en la que sostiene que existen 41 documentos que se refieren a los pueblos de lo que habría constituido el Reino de Quito, escritos entre esos años: aunque el nombre de Quito no aparece en los nueve documentos anteriores a Cajamarca, consta expresamente en las fuentes posteriores. La primera mención de Quito aparece publicada en Madrid, en abril de 1534, tanto en la Crónica del Anónimo Sevillano, como en la de Jerez, «es decir antes siquiera de que Almagro y Benalcázar fundasen la ciudad de Santiago de Quito, el 15 de agosto de 1534, y de que Benalcázar funde [sic] de facto la villa de San Francisco de Quito, el 6 de diciembre de aquel año». El debate a que pueda dar lugar esa ponencia solo puede ser útil, cualquiera que sea la conclusión a que se llegue, a la afirmación de la identidad nacional en lo que se refiere a su origen.

mente en 1848, se restablece el Segundo Imperio y solamente en 1870 se vuelve definitiva su proclamación, cuarenta años después que la del Ecuador.

El nuestro es un país sobremanera joven: pocos —Panamá, Cuba...— tienen menor edad que nosotros. Se lo ha construido, y desde entonces somos «ecuatorianos», en poco más de un siglo y medio, hazaña de cuyo valor, al parecer, no nos damos cuenta. Haber creado una noción de nación históricamente constituida a pesar de todas las vicisitudes —el Incario del que entramos a formar parte como una provincia; la Colonia española a lo largo de la cual fuimos Villa, Capitanía General, Real Audiencia y Presidencia de Quito; la Gran Colombia que nos englobaba como Distrito del Sur; luego, República del Ecuador—, una noción de patria y de aquello que, aunque bastante vago, constituye la «ecuatorianidad», pese a los cambios de nombre en la biografía colectiva, y asentarla en un Estado políticamente organizado en un territorio, ha sido una empresa insólita en la que hemos participado todos, distribuyéndonos la herencia que nos dejaron nuestros pensadores mayores y nuestros héroes más altos: Olmedo, Rocafuerte, Montalvo, Peralta, Eloy Alfaro... Los demás, muchos otros, son los de cada día, sin nombre anotado, a veces sin efemérides fija, pueblo, trabajadores, víctimas: más de mil en las calles de

Guayaquil, como en una cacería de ratas ordenada por un jefecillo militar, el 15 de noviembre de 1922. Movidos por el hambre, sin derechos y sin ideología, sin más orientación o consigna política que la impartida por la Confederación Obrera del Guayas —me ha sido siempre difícil, no obstante haber hablado con testigos de la matanza y el consenso de los historiadores, imaginar una multitud que, hace más de setenta años, saliera a morir exigiendo «¡El dólar a dos sucres!»: más bien la veo tratando de atacar las cárceles y rescatar a sus dirigentes—, allí iban a nacer ideales de justicia válidos hasta hoy, aunque se desvanezcan ante nuestros propios ojos las organizaciones que iban a hacerlos realidad.

Pese a todo ello, que es mucho, como si viéramos una película ya comenzada, ignorando la parte no vista tratamos de inventar la verdad, dándoles a los niños patriotismo en forma de cucharaditas de vanidad: algunos de los paisajes más bellos y, en el caso de Galápagos, únicos; todos los climas del mundo y que solo aquí pueden recorrerse en 24 horas en lugar de varios días, y, desde luego, el himno, el escudo, la bandera... Porque recordamos a nuestros antepasados solo en la fecha precisa de las conmemoraciones, y como si la autoestima por lo que somos capaces de hacer hoy y en el futuro, puesto que pudimos hacer eso en el pasado, se nos hubiera caído, con ruido, y roto, nuestro patriotismo no es consuetudinario y se reduce a ceremonias oficiales: jura de la bandera, acuerdos del Congreso de la República, desfiles militares..., y surge, instintivo y violento, en dos instantes: el de la defensa territorial y el de la competición deportiva. Porque, y es grave, no hemos integrado la Historia a la memoria, como si fuera exclusivamente dolorosa, como si no quisiéramos recordarla, como esas almas de los muertos en el río del Infierno que bebían de sus aguas para olvidar lo vivido. De ahí que merezcan gratitud, por recordárnoslo, los poetas y novelistas que están reescribiendo la Historia en la literatura: con ello, me parece, nos ponen de nuevo el pasado ante los ojos, tal como en los años treintas nos mostraron la parte visible de la realidad.

(Con frecuencia me han preguntado, en especial los jóvenes, por qué la canción *Vasija de barro*, compuesta hace cerca de cincuenta años, corresponde tan bien a nuestra identidad, nos sentimos tan representados por ella [son palabras suyas]. Creo que semejante pregunta es la mejor prueba de cómo andamos en busca de algo en nuestro pasado en donde podamos aferrarnos para ser lo que queremos ser. La primera estrofa, y la principal en este caso, escrita por Jorge Carrera Andrade —«Yo quiero que a mí me entierren,/ como a mis antepasados,/ en el vientre oscuro y fresco/ de una vasija de barro»— se refiere a unos antepasados remotos, preincásicos. Esos «entierros primarios», aunque aparecen en casi todas las culturas —los «secundarios» estarían constituidos por la conservación de huesos en vasijas, tras una inhumación—, difieren según el lugar y la importancia de los personajes y no se hallan, por ejemplo, en el cementerio de los «amantes de Sumpa», de modo que es probable que lo hayan practicado solamente algunos grupos o provincias, o en determinados periodos de su biografía. Lo que interesa aquí es que esa tradición no se conservó, ni siquiera entre los indios, debido, ante todo, a la introducción de los ritos funerarios de la Iglesia católica. Que esa canción sea «tan nuestra» puede atribuirse a la autenticidad de la música mestiza y quizás a la carga poética de la letra, o tal vez al atractivo que ejerce en nosotros la evocación del pasado remoto y de la muerte.)

«El mito de la patria está simbolizado en el héroe, en el que se proyectan las aspiraciones más elevadas de la comunidad. Sin él, a la comunidad le falta una dimensión crucial, pues él es su alma [...]. "La sociedad ha de inventarse alguna manera de permitir que sus miembros se sientan héroes", decía Ernest Becker. "Este es uno de los grandes retos el siglo XX". [Y del XXI ¿no?]. Estamos hambrientos de héroes que actúen como modelos, como norma de acción, como ética en carne y hueso. Un héroe es un mito en acción.»[4] Esa necesidad es mayor cuando se trata de patrias jóvenes donde el héroe resulta imprescindible para el afianzamiento de su identidad. Pero salvo en los manuales escolares de patriotismo, no se ha producido aún en la conciencia nacional el vuelco necesario para que todo un país —donde el poder ha estado invariablemente en manos de blancos, o de mestizos a veces avergonzados de serlo— tome a un indio como paradigma. Y mientras, por un lado, los glorificamos, por otro los negamos en secreto. La princesa Pacha no parece una heroína adecuada porque, aunque tras perder una batalla con flechas ganó otra con caricias, estuvo, en fin de cuentas, «amancebada» con Huayna Cápac, lo que la honrilla hispánica condena; Atahualpa en ningún momento decidió resistir a los españoles; nos quedarían sus generales indios, como Rumiñahui, que llegaron hasta el Cusco, pero la exaltación que hemos hecho de todos ellos se convirtió, a la larga, en una «curiosa epopeya del vencido», como llamó Agustín Cueva a mi texto *Dios trajo la sombra*. Y los negamos no solo en secreto: el Rey de España quiso, en Quito, depositar una ofrenda floral en honor de Atahualpa, considerado, nadie sabe por qué, como «padre de la nacionalidad quiteña», y se encontró con que éste no tenía, en su propia ciudad,

4   Rollo May: *La necesidad del mito. La influencia de los modelos culturales en el mundo contemporáneo*, Barcelona, Ediciones Paidós Ibérica, 1992, p. 52. Las cursivas son suyas.

un monumento. (Más recientemente, una nueva generación de ecuatorianos estudiosos de la historia, llevados seguramente por su amor a la verdad aunque no nos hayan mostrado todavía las pruebas documentales de su afirmación, sostienen que fue hijo de una princesa cusqueña, nacido en el Perú, coincidiendo, así, con los autores que, desde hace mucho, enseñan lo mismo a los escolares de ese país. Gustavo Pons Muzzo, por ejemplo, en su *Compendio de Historia del Perú*, dice de Atahualpa que fue «tenido [por Huayna Cápac] en una concubina, nacido en el Cuzco y no en Quito [...], en ningún momento fue coronado Inca del imperio. Fue un usurpador que cometió el delito de ordenar la muerte de su hermano y atentar contra la unidad del imperio en momentos en que la patria era invadida por extranjeros.»[5]) Por lo que hace a Rumiñahui, se le erigió un monumento apenas en 1994, por iniciativa de su autor, Oswaldo Guayasamín, y financiado casi totalmente por él, en Sangolquí. Hay más: nuestra historia —la otra, la no recogida en la Historia— recuerda a dirigentes indígenas que sufrieron persecución y cárcel por seguir el ejemplo de rebeldía de sus antepasados históricos: por ejemplo, Ambrosio Lasso, «jefe indio», a quien, junto a Benjamín Carrión, «nieto de españoles», Joaquín Gallegos Lara de-

5 Citado por Ernesto Trujillo: «Derrumbando mitos y leyendas», *Diners*, febrero de 1999.

dicó su *Biografía del pueblo indio*; o Dolores Cacuango incluida, entre otras heroínas, en el mural *Imagen de la Patria* que Guayasamín pintó en el Congreso Nacional. (A más de que nadie los cita ni siquiera en los discursos oficiales, como para darles, paternalistas, una palmada en el hombro por su comportamiento, se los denigra: un pintor, con afán de ofender a Guayasamín o a la dirigente indígena, dijo de la Cacuango que era «una india comunista de Cayambe que se robaba los borregos»). Y recuerda también a sus descendientes —cuya organización constituye uno de los hechos sociales fundamentales de los últimos veinte años solo desde el levantamiento de 1990 y la recuperación de su dignidad de «indios», y a regañadientes, se ha comenzado a tomarlos en cuenta como interlocutores del Poder.

De los patriotas quiteños que intentaron proclamar la independencia el 10 de agosto de 1809, y se convirtieron en mártires el 2 de agosto del año siguiente, se recuerda, más que a ningún otro, a Manuel Quiroga, poco visitado en un «museo de cera», que no contiene más figuras, junto a sus hijas en el momento en que ellas ruegan en vano por su vida a los soldados realistas. (Parece que no hemos tomado conciencia de la importancia histórica que, en la conformación política del planeta, tuvo el fin de la dominación de España en el nuevo mundo, ni de que fuimos nosotros, o sea nuestros héroes, quienes en

América comenzaron a poner fin a esa dominación.) Los héroes de la emancipación de España, que vinieron después, como Bolívar y Sucre
—convertidos en verdaderos ídolos populares
puesto que suscitan una admiración que raya en
la adoración—, nacieron en Venezuela. Hubo,
pues, que esperar hasta el 24 de mayo de 1822
para que, en la Batalla del Pichincha, apareciera
el mito verdadero, es decir popular: Abdón Calderón.

Descartados los indios y los extranjeros, Abdón Calderón Garaycoa apareció como el más
idóneo para que con él se identificara nuestro
pueblo por lo que es o quisiera ser: vástago de
«una muy respetable familia de Cuenca y una de
Guayaquil», o sea blanco, nacido en este suelo,
adolescente, apenas con los datos indispensables de una biografía para convertirla en leyenda. De la sobria decisión de Bolívar —que «la
Tercera Compañía del [batallón] Yaguachi nunca tuviera otro capitán y que al pasar revista la
tropa respondiera: "Murió gloriosamente en el
Pichincha, pero vive en nuestros corazones"[6]»—
fuimos a parar en la fabricación del mito iniciada por Manuel J. Calle en sus *Leyendas del
tiempo heroico*, con las que quiso «facilitar a los
niños un pequeño libro de lectura» en el cual
«más noble es el asunto que las entretenidas his-

---

6 Alfredo Pareja Diezcanseco, *Historia del Ecuador*, Quito, Casa
   de la Cultura Ecuatoriana, 1954, p. 400 de la segunda edición,
   1958.

torias de *La Bella y la Fiera,* del *Príncipe Admirable* y de las aventuras de *Blanca Nieves* en el país de los enanos»[7], o sea casi un cuento para niños en lugar de la Historia.

Me extiendo en la elaboración del mito porque corresponde a un patriotismo de baja ley, que seguimos practicando pese a que nosotros mismos, a veces, nos burlamos del héroe: su desmitificación es correlativa a su exaltación, no porque la identidad se haya afianzado lo necesario para prescindir de él sino por el modo de ser contradictorio, no siquiera entre dos tendencias o grupos, sino en cada uno de nosotros, quizás como una muestra más de rebeldía, de insumisión, de protesta contra «lo oficial».

Sucede, con Abdón Calderón, que Calle primero crea un escenario «digno de Homero y Dante a la vez», indispensable para una epopeya, y luego se forja un héroe inverosímil, que desafía dificultades físicas: pese a que una bala le atraviesa el muslo, «vacila el niño pero no cae» e incluso lo imposible: «corre adelante con la espada entre los dientes» y la deja caer solo después de haber gritado: «¡Avancen! ¡A ellos! ¡Patria! ¡Patria! ¡Libertad! ¡Libertad! ¡Y adelante!». (Resulta elocuente a este respecto comprobar que quienes no han leído a Calle o lo recuerdan mal son tan numerosos que siempre se escucha

7 Manuel J. Calle, *Leyendas del tiempo heroico,* Advertencia, Quito, Libresa, Colección Antares, 1994, p. 53.

decir, con una sonrisa, que Calderón «tomó la bandera con los dientes» antes de gritar «¡Avancen!» y que «Vacila el niño pero no cae» luego de que «una bala de cañón le lleva las dos piernas».)

Hay una constante dicotomía nacional en virtud de la cual, junto a la búsqueda en el héroe de la dimensión decisiva de uno mismo —como si, humilde y solitario, el ecuatoriano necesitara de tiempo en tiempo mirarse en el mito para sentirse y ser considerado como heroico—, se acrecienta una marcada tendencia al humor, que a veces linda con la maledicencia, por encima del respeto a la dignidad personal (ha habido honras que el chiste mancilló) y hasta de la historia, en el cual el ecuatoriano parecería encontrar compensación o escapatoria a las perradas de la suerte. Pese a las deformaciones que la agudeza o el ingenio han hecho de la leyenda, Abdón Calderón es tenido por el pueblo como un héroe único: a comienzos de 1995, cuando ciertos incidentes fronterizos estuvieron a punto de convertirse en una guerra de mayores proporciones, se lo recordaba como modelo: en numerosos edificios públicos se colocó un cartel en el cual el ejército interpretaba los anhelos de los jóvenes, cuyo texto comenzaba: «Vivir y morir bajo mi bandera/ como en el Pichincha Calderón». Y, antes, solía cantarse en cuarteles y colegios una canción pedagógica, que terminaba con los siguientes versos: «Ya en el volcán/ ondula el tricolor./ ¡Que viva el Ecuador!/ repite Calderón», aunque en la batalla del Pichincha no hubiera ondeado el tricolor, bandera que no existía entonces, y el nombre de Ecuador se haya dado a la República al fundarse en 1830, ocho años después de la muerte del «héroe niño». (Y tras 185 de la muerte de Santa Mariana de Jesús, quien habría dicho que «El Ecuador será destruido por los malos gobiernos y no por los terremotos»).

Transcurrido casi un mes de esa victoria, Bolívar hizo su entrada triunfal en Quito y alcanzó a ver en un balcón a la bella Manuela Sáenz quien, a partir de esa misma noche, fue su compañera en batallas de trinchera y cama: lo salvó de varios atentados, luchó como cualquier soldado en las lides libertarias, desafió los prejuicios de la sociedad colonial contra la mujer: por todo ello la hicimos heroína amada, admirada, ejemplar, única.

Cuando alguien propuso la efigie de Manuelita para que se la imprimiera en el billete de mayor valor que el Banco Central haya emitido hasta ahora en el país, otro alguien sugirió que, en lugar de ella, figurara la imagen de Santa Mariana de Jesús. No conozco billetes de banco con el rostro de una santa, ni siquiera el de Juana de Arco quien fue, además, la heroína que pagó en la hoguera haber librado a Francia de los ingleses. Se produjo de nuevo el conocido alud de agravios contra Manuela: hay quienes no le perdonan aún haber sido la figura femenina más significativa de nuestro país, y, desde una moral de supermercado —no solo con afán de ofenderla (¿otra «amancebada»?) sino también para reducir su estatura histórica, para escamotear su valor de revolucionaria—, pretenden reducirla a «la amante del Libertador», olvidando que eso la llenaba de orgullo y dignidad: «...me siento más honrada con ser la amante del general Bolívar que la esposa de ningún otro hombre viviente...», escribió alguna vez. Pero la suspicacia, el placer de contradecir que confirma nuestra importancia, ¿también algo de envidia?, han hecho que, como una murmuración y entre sonrisas de picardía, se insinúe en ella algo parecido al furor uterino, cubriéndola literalmente de amantes de ambos sexos. Una de esas inefables Cartas al Director, que parecen convertir esa sección de algunos diarios en un depósito de basura intelectual, terminaba preguntando: «¿Qué otra cosa fue?». Fue, simplemente, «un espíritu superior», «figura de muchos heroísmos», «soldado de la libertad», «Generala de las tropas libertadoras de los Andes peruanos», «combatiente en Ayacucho», «Libertadora del Libertador la noche sucia del 25 de septiembre de 1828» (son diversos historiadores quienes lo dicen), a quien admiraron por todo ello y fueron a visitarla en su destierro de Paita, Simón Rodríguez, el maestro de Bolívar, y Garibaldi, el político y patriota italiano que combatió en favor de Brasil y Uruguay. No creo que sea únicamente cuestión de moral, puesto que no cabe descartar la posibilidad de que haya molestado a algunos representantes, no solo de la «hombría de bien» de que tanto hablamos, sino además de la «hombría» a secas, de que tanto nos enorgullecemos, el hecho de que Manuelita, junto a Jonatás y Nathan, las dos negras que le servían, hubieran derrotado, físicamente, a tantos hombres hasta el punto de que, tras invocar esa moral y las consabidas buenas maneras («... se presenta todos los días en traje que no corresponde a su sexo, y del propio modo hacer salir a sus criadas, insultando el decoro...»), las persiguieron a caballo y las golpearon y apresaron. «¿Qué otra cosa fue?», preguntan. Fue, simplemente, precursora de la emancipación de la mujer, cien años antes de que las mujeres reclamaran su emancipación. (¿Es por desinterés o por prudencia, o quizás porque entonces sí actuó «de acuerdo con la moral», que nadie le reprocha y muchos ni siquiera se preguntan la razón, no haber acompañado a Bolívar, ya enfermo, en su destierro, desterrada ella también de su «país Quito», diciéndole que la muerte es cosa muy seria, a la que hay que esperar solo y no con una amante?)

Es curioso que, al preguntar a la gente el

nombre de un héroe de la historia ecuatoriana, reflexionan, dudan, tardan en responder, como si solo tuviéramos uno y hubiera que acertar. El primero que casi todos pronuncian es, quizás por su forma de morir, el de Eloy Alfaro: «general de las derrotas», ganó la batalla final de una guerra civil que fue, al mismo tiempo, la primera —y hasta hoy la única— revolución auténtica ecuatoriana por la liberalización del país: es cuando «el alma mestiza, vale decir, el alma nacional, se aproxima a la totalidad de su formación, y ensaya, gracias al acercamiento de la clase media al poder político, la solución de sus tremendos conflictos interiores»[8]. No se enumera sino que se recuerda, como una empresa global, la separación de la Iglesia y el Estado, la introducción de la educación laica, gratuita y obligatoria, la creación de escuelas normales y de conservatorios de música, la ley de divorcio, la hazaña titánica de ingeniería y de política que constituyó la construcción del ferrocarril entre Guayaquil y Quito como vía forzosa para la unión y unidad del país, y numerosos proyectos para otros en la Costa y el Oriente (mucho antes de que Max Frisch dijera que lo único que une a los suizos es el ferrocarril y el ejército, porque allá nadie escapa a la conscripción que aquí la hacen quienes no tienen «padrinos» o

8 Alfredo Pareja Diezcanseco: *Ecuador - La República de 1830 a nuestros días,* Quito, Editorial Universitaria, 1979, p. 218.

buscan alojamiento, vestido y comida, a cambio de soportar carajazos y patadas en el cuartel). Y siguiendo la lista enorme, también la creación del servicio de correo urbano, la secularización de los cementerios, la instalación del Registro Civil... No sé si, con la lógica excepción de los Colegios Militares, varios de los cuales llevan su nombre, se lo cita ahora como ejemplo en los planteles de educación, mas lo cierto es que, por primera vez en nuestra historia, un grupo de jóvenes revolucionarios se llamó no con un nombre sino con una exclamación: «¡Alfaro Vive, carajo!», evocación apenas alterada de una exclamación que posiblemente se originó, a comienzos de siglo, en las cantinas y tabernas de Manabí y el Guayas, cuando gritarlo significaba declaración de identidad y desafío al poder conservador. No sé si todavía a alguien, entre los estudiantes, se le ocurre ser como él, no sé qué queda, si queda algo, del Partido Liberal que exaltaba su figura y su ideario. La admiración a Alfaro no es unánime: su permanencia, así como la de García Moreno, con admiración o con odio, en la conciencia de los ecuatorianos se debe a que son símbolos más que figuras históricas: el «viejo luchador» aún suscita rencores entre los conservadores y entre quienes confunden el conservadurismo con la religión que condena el ateísmo, el divorcio —hoy día, además del aborto, lo que sería explicable dados los postulados del catolicismo, también, sin explicación plausible, los anticonceptivos— y hasta la educación laica: baste recordar la paradójica «conmemoración» del centenario del triunfo de la Revolución Liberal, que se hizo en el gobierno de Durán Ballén, con una, hasta hoy no aplicada y por suerte casi olvidada, ley que restablecía la educación religiosa en las escuelas públicas, fiscales o municipales.

Después del de Alfaro viene el nombre de Manuelita, recordada en primer lugar por las mujeres que desechan las acusaciones a su moral, en una suerte de innecesaria «reivindicación de género». Pero, para nuestro pueblo, «el héroe» por antonomasia no es ninguno de los dos, sino el otro, Abdón Calderón, porque el ecuatoriano lo ha creado a su imagen, para identificarse con él.

Sufrimos una suerte de «angustia de la Historia». Pocos héroes, pocos mitos: a más de las estatuas que los mantienen inmóviles en nuestro devenir, le pusimos su nombre a todo: aldeas, calles, plazas. Pero eso no bastó y así pudimos llamar «Mariscal Sucre», «Simón Bolívar» y «Mariscal Lamar» a tres aeropuertos, esos que en otros países se llaman como el sitio donde fueron construidos: Barajas, Orly, Maiquetía, Ezeiza, o el de figuras relacionadas con la navegación aérea: «Santos Dummont», en Rio de Janeiro, «Comodoro Arturo Merino», en Santiago,

«Jorge Chávez», en Lima. ¿Por qué preferimos el nombre de quienes nada tuvieron que ver con la aviación y ni siquiera con la construcción de aeropuertos al de autores de hazañas, como la del capitán Elia Liut, el primero que cruzó los Andes ecuatorianos, acercándonos más a hermanos que a menudo nos damos las espaldas?

(De vez en cuando, algún periódico recuerda que Rodríguez de Labandera concibió un sumergible y hasta construyó el primer prototipo, el *Hipopótamo,* que, en un país donde los recursos técnicos no eran los adecuados para industrializarlo y comercializarlo, terminó pudriéndose frente a Guayaquil. Más importante, desde el punto de vista económico, fue su desmotadora de algodón. Pero, llevados por una tendencia, compensatoria de nuestra sensación de pequeñez, a la hipertrofia de nuestros valores reales, se destruyó la evaluación y con ella la imagen del descubridor guayaquileño, presentándolo como inventor del submarino, que habría sido concebido aquí «antes que en España y los Estados Unidos», olvidando que Leonardo da Vinci —el único genio que, en rigor, recuerda la Historia universal— no está considerado como un precursor de la aviación. Ojalá que lo sucedido con Rodríguez de Labandera no se repita con el oncólogo Edwin Cevallos, de quien se dice ha descubierto en una dulcamara, tras 21 años de observaciones, un modular biológico de respuesta inmunológica [birm], para la curación del sida, ni con el ingeniero Jaime Redín quien diseñó un programa para una calculadora virtual con nuevas teclas correspondientes a las cifras de millón, mil y cien, aceptado por la Oficina de Patentes de los Estados Unidos por su «aplicación utilitaria», ni con el ingeniero Roberto Aguiar, creador del programa «Ceinci2» mediante el cual una computadora puede determinar la capacidad de resistencia de las estructuras de hormigón armado, proyecto que representará a Ecuador en el concurso Premio Alcatel a la Innovación Tecnológica en América Latina. En cambio, no recuerdo haber visto en la prensa nacional suficientemente destacada la noticia de que la poderosa Petrobras, de Brasil, adjudicó a Industria Acero de los Andes [IAA], empresa ecuatoriana de diseño y fabricación de equipos para la industria petrolera, la fabricación de veinte equipos de proceso para la ampliación de su refinería de Manaos. Fueron transportados por vía fluvial, desde el Puerto de Francisco de Orellana, en el río Coca, por el Napo y, luego, por el Amazonas hasta Manaos. Prueba, innegable y concreta, de la capacidad técnica de los ecuatorianos, lo es también de los beneficios de la paz al fin alcanzada.)

Tan grande es nuestra necesidad de héroes que se los multiplica. En cada conflicto armado, todos los caídos adquieren de pronto esa categoría aunque su acción no haya sido forzosamente heroica. Casi siempre de apellido humilde, muy raros son quienes llegan a tener un busto erigido en alguna calle de alguna ciudad. Tal es el caso del teniente Hugo Ortiz, caído en un enfrentamiento armado con tropas peruanas en 1941, pero entre los propios estudiantes a los que se hace desfilar de vez en cuando en su honor, la mayor parte ignoran quién fue y cuándo murió. (En esa malversación o manoseo del término —puesto que la colocación de la condecoración oral junto a un nombre no exige requisitos de ninguna índole y el mito se concilia más con el instinto que con la lógica— se llegó a la estupidez, en el gobierno de Abdalá Bucaram, evidentemente: el ministro de Salud declaró «héroes nacionales» a unas víctimas del SIDA que contrajeron la enfermedad en una clínica privada, y el presidente de la República invitó al país, le ofreció un banquete, la declaró «heroína ecuatoriana» e hizo que el Congreso Nacional le rindiera homenaje, a Lorena Bobbitt, una mujer sin mayor aspiración que realizar «el sueño norteamericano», nacida en Bucay y que en la ciudad estadounidense de Manasas fue juzgada y absuelta por cortar el pene a su marido, un *marine* que, tras recuperarlo, pues los perros vagabundos lo dejaron intacto, se dedicó a todas las variantes comerciales de la pornografía.)

No es infundado englobar en la percepción y destrucción del héroe al artista y al político: ambos influyen, aunque en medida y extensión muy diferentes, en el imaginario de la sociedad. Ambos han salido del anonimato y, puesto que están a la vista de todos, están en la boca de todos, lo que suele conducir a la murmuración antes que a la crítica. Pero parecería haber entre nosotros un marcado disgusto o pesar por los valores ajenos, en una actitud en la que es perceptible aquello que Pedro Saad Herrería llamó el «síndrome de Rocky»: al boxeador de ínfima categoría, fracasado, que desafía al campeón aunque sabe que será golpeado brutalmente, le queda el contento de que su nombre haya aparecido en los carteles y en la televisión junto al del triunfador. Así, el aficionado o el advenedizo, el que tiene prisa por «ser alguien» o que no se resigna a «ser menos», hará, mediante el ataque vago o la supuesta crítica, a base de adjetivos más que de ideas, que su nombre figure junto al de aquél a quien quisiera anular o destruir. El ámbito del arte y el de la política son los que más se prestan a ello: se trata, en ambos casos, de «la cosa pública», y en eso parece consistir la democracia: cualquier ciudadano, cualquier «hijo de vecino» sin calificaciones —no haber hecho nada es la mejor garantía de impunidad para ejercer la crítica, dado que no cabe revertirla a su autor—, quienquiera que desee ver su nombre en la prensa, emitirá su valiosa opinión adversa, con razón o sin ella. Un sociólogo ecuatoriano, asentado en la República del Gabón, hacía un ingenioso y elocuente juego de palabras, basado en la manera de pronunciar el nombre de nuestro país: no es «l'Ecuador», decía, sino «licuador» de todo cuanto vale: el país liquida, destruye, difama a sus valores. Luego nos quejamos de nuestra pequeñez, de nuestra pobreza, de nuestra inexistencia: nos liquidamos a nosotros mismos.

APROXIMACION AL PATRIOTISMO

Nuestro patriotismo —que está fuera de duda si nos atenemos a las definiciones: «Amor a la patria. Sentimiento y conducta propios del patriota». Patriota: «Persona que tiene amor a su patria» (el *Larousse* agrega «y procura todo su bien»), tiene de la patria una noción exclusivamente territorial, geográfica. Pero, con excepción de las Fuerzas Armadas, para las cuales la integridad total del país es su razón de ser, el ecuatoriano la vive en una dimensión aldeana, provincial o, cuando más, regional.

Las grandes culturas prehispánicas tempranas florecieron en la Costa; el arte colonial mestizo, en la Sierra; las agrupaciones étnicas que defienden su especificidad cultural están marginadas en el Oriente. Pero no tenemos una conciencia muy clara de que la patria es también, y ¿sobre todo?, historia. El amor a la patria colectiva, que es su definición, lo expresamos con gritos y con actos, para darnos valor y orgullo y para que nos vean. Dejando de lado la expresión de patriotismo colectivo que suscitan los conflictos territoriales armados y las competencias deportivas en el extranjero, me ha parecido encontrar una satisfacción individual, casi vanagloria, en los recintos electorales cada vez que el gobierno o la ley convocan a una consulta popular: la sensación del ejercicio de un derecho más que del cumplimiento de una obligación, la certeza efímera y, a la larga, ilusoria, de que cada uno de nosotros decide su propio destino y el destino del país. En una suerte de fiesta —siempre en domingo— los amigos se encuentran, los correligionarios se abrazan, con temor o con alegría, en espera de los resultados, las ventas ambulantes de comida congregan a algunos electores, la reducción del servicio de transporte vuelve generosos a quienes tienen su propio vehículo. Pero nadie cree aplicable a su gesto la expresión «hacer patria» que, de tanto repetirla algunos pedantes, suena vacía.

En lo interno, la noción de patria es muy vaga y está hecha de pedazos: la «ecuatorianidad» se fragmenta, en el sentimiento y en la práctica, con la «guayaquileñidad», la «quiteñidad», la «ambateñía», el «manabitismo», la «morlaquía», aunque no faltará quien diga que, más bien, la complementan. No existe entre nosotros, como en otros países, el concepto de «patria chica» pero sí la actitud que de él se desprende: el «patriotismo» aplicado a la región es más claro por permanente, y a veces se manifiesta con caracteres de pugna, incluso a nivel de la provincia, el cantón o la parroquia. Puede tomarse como una broma la aclaración que hizo un poeta, cuando lo presenté a otros, en México, diciendo: «No, no soy ecuatoriano: soy guayaquileño»; y, como broma, mi pregunta de si al llegar a Quito le exigían la presentación de su pasaporte.

(Hace tiempo, mucho tiempo puesto que yo era niño aún y los *hooligans* criollos hicieron su aparición solamente a fines de 1998, el partido final de una Copa de la Fraternidad de basquetbol entre los equipos de Guayas y Pichincha se jugó en Quito: la plaza ¿Arenas? ¿Belmonte? quedó destruida: cada uno de los espectadores se había armado de un trozo de la barandilla que rodeaba la cancha, para una batalla a golpes, que jamás se dio aquí con un equipo extranjero, ni en el exterior con un equipo nuestro. El nombre de «Desfile de la Confraternidad» —que se celebra como parte de las festividades por la fundación española de Quito, con delegaciones de colegios y grupos folclóricos de casi todas las provincias del país—, ¿indica que hay que crearla, provocarla, alimentarla, que no existe por sí sola, o que ya se ha producido en un proceso que nadie sabe cuándo se inició, y va a la capital del país a demostrarlo?)

A la «patria grande», o patria en abstracto, la invocan cada día, a cada momento, las autoridades mayores (también las otras), los dirigentes políticos, los miembros del Congreso, cada vez que se quiere explicar o justificar una decisión: la construcción de una presa, la creación de un impuesto, la expedición de un texto de enmienda a la Constitución o a una ley... Pero, independientemente de los sentimientos o las intenciones de su autor, ¿cuántas de ellas han sido, realmente, prueba de amor a la patria o de que alguien «se esfuerza por servirla», según otro diccionario? Y cuántas veces, con el mismo argumento regionalista, se las rechaza: desde hace muchos años el número de accidentes mortales, por no hablar de exigencias técnicas inaplazables, son muestra de la necesidad urgente que Quito, encajonado entre los Andes y otras montañas, tiene de un nuevo aeropuerto, cuya pista no colinde ni termine, como hasta ahora, con barrios habitados de la ciudad. Hay proyectos, hay estudios, se han creado comisiones, se han avanzado gestiones (como la expropiación de terrenos para su construcción), pero es posible que no se construya: Guayaquil exige también uno nuevo: alguien, llamado, por lo visto con razón, «dueño del país», llegó a decirle a un gobierno temeroso: «El aeropuerto, o se hace en Guayaquil o no se hace» —aunque sus condiciones geográficas y el sitio en que se halla permitan ampliar casi indefinidamente el suyo—, sin que importen los accidentes que, en tal caso, seguirán produciéndose en Quito. Dado que para la empresa privada no es rentable la existencia, en un país tan pequeño, de dos aeropuertos internacionales, es probable que no se construya ninguno, por razones de patriotismo local; pero, a la larga, sería la aplicación de la estrategia empleada en el juego del «palo ensebado»: tirar de las piernas del que va arriba aunque uno caiga con él. Y los aeropuertos de esas dos ciudades seguirán constituyendo la muestra más patente del desprecio de la autoridad por el individuo que debe esperar de pie a la intemperie, apenas protegido de la lluvia, a los viajeros procedentes del extranjero.

El sentimiento regionalista tiene sus bases reales: históricas —desde cuando la Provincia de Guayaquil, antes de que existiera el Ecuador como Estado, en 1822 se proclamó «Independiente» respecto de España y libre para decidir anexarse al Perú o a Colombia—, étnicas, geográficas, culturales, que conducen a una variedad de tipos humanos, de comportamiento de sus habitantes, de productos agrícolas y minerales, de costumbres alimentarias y modos de ser, de vivir, de vestir, incluso de hablar (el tono de la voz, casi murmullo, se vuelve casi grito, según), diversidad que constituye nuestra riqueza y que es uno de los mayores valores de nuestra identidad. (Acerca de esa riqueza, pero refiriéndose no a un país como el nuestro, ni siquiera a un continente como «nuestra América», sino al mundo, habla Eduardo Galeano, en su último libro hasta la fecha, de «... la más linda energía del género humano, que se reconoce en sus diferencias y desde ellas se vincula. Lo mejor que el mundo tiene —dice— está en los muchos mundos que el mundo contiene, las distintas músicas de la vida, sus dolores y colores: las mil y una maneras de vivir y decir, creer y crear, comer, trabajar, bailar, jugar, amar, sufrir y celebrar, que hemos ido descubriendo a lo largo de miles y miles de años.»[1]) Y mientras aumenta constantemente la corriente política y económica que propugna y busca, en la medida de sus fuerzas, la integración de Latinoamérica toda, son raros o estériles los esfuerzos por alcanzar una verdadera integración, ésa que debe producirse en el alma nacional y no solo en el presupuesto del país. Los más lúcidos, en la Costa, más bien en Guayaquil, solían explicar —porque parecería que hoy ya no hay necesidad de hacerlo— la reacción «antiserrana» por el éxodo constante de los empobrecidos de otras regiones al puerto principal, a quienes se atribuyen las tomas «salvajes» de tierras, una competencia (¿extranjera?) en el mercado del trabajo, un aumento del sector informal, un incremento de la mendicidad. Lo que no se recuerda es que hay un movimiento igual, pero en sentido contrario, hacia Quito, con la ocupación de las laderas del Pi-

1   Eduardo Galeano: *Patas arriba. La escuela del mundo al revés*, Buenos Aires, Catálogos, 1998, p. 25.

chincha, ecológicamente peligrosa y, al igual que en las demás capitales de provincia, otras consecuencias idénticas a las señaladas allá, en particular la agravación del subempleo, el desempleo y la delincuencia.

Ese sentimiento regionalista ha sido explotado de modo sistemático por grupos políticos que buscan en él la aglutinación de sus electores, tal como se explotaba —antes de la conclusión de los tratados de paz del 26 de octubre de 1998 con el Perú—, a lado y lado de la frontera (y esa comparación muestra la gravedad del fenómeno interno), el patriotismo frente a una rivalidad o agresión exterior. El abogado Jaime Nebot recordaba, durante la campaña electoral de 1998, que cuando fue candidato a la presidencia de la República vio en una pared de Quito una pintada que decía: «Los monos a la jungla, Sixto a Carondelet», y que hizo entonces una advertencia en el sentido de que el regionalismo era una vía en dos direcciones. Más que una advertencia era una comprobación: ya en Guayaquil se había escrito, en una ocasión similar: «Más vale presidente peruano que serrano». Pero, cualquiera que haya sido su orden, las dos consignas —¿versión local, desarticulada, minúscula e imbécil del patriotismo, más bien patriotería?—, escritas por manos anónimas, a menos que se originaran en un «buró de campaña» gracias a la perspicacia de algún estratega, no hacen sino demostrar que el regionalismo, aquí, lejos de ser el «amor o apego a determinada región de un Estado y a las cosas pertenecientes a ella», como lo define idílicamente una enciclopedia, es expresión de odio a una región considerada como enemiga y a quienes la habitan: prueba de ello son expresiones tales como «serrano de mierda», «mono hijueputa», «serrano hipócrita», «mono ladrón», que inquietan por la espontaneidad literal e instantánea con que estallan al menor incidente. (Cecilia Velasco ha escrito al respecto: «No sé si, efectivamente, se puede hablar de "un modo de ser quiteños" frente a uno de "ser guayaquileño", porque mucho de lo que se difunde a través de los medios de comunicación, los subproductos de una cultura masiva y falsamente popular, difunden los estereotipos: [...] "La feria de la alegría", "Chispazos" y "Chispitas". Esos son algunos de los referentes que han construido en nuestra mentalidad un imaginario en torno a lo que son los guayaquileños. Esto sin referirnos a series tan degradadas como "Mis adorables entenados", "El rey de la playa" o "Sholoman". Cosa similar a la que ocurre, salvando las distancias, con un cada vez más empobrecido "Dejémonos de vainas", con la imagen hecha e inamovible, de un chapa municipal, una empleada doméstica o una patrona, supuestos símbolos de Quito y de la Sierra.» Más adelante, citando a Simón Pachano,

Cecilia recuerda que «muchos de esos rasgos de identidad empiezan a construirse o, en otros casos, a ratificarse, cuando el sujeto, individual o social, se siente amenazado por el otro o los otros. ¿No hemos sido muchos de los habitantes de Quito alertados por una Guayaquil violenta, habitada por ladrones, en la que tomar un autobús es correr un riesgo absurdo? ¿No se nos ha vendido la imagen de una ciudad en la que [...] se ha "criminalizado la pobreza"? [...] Por supuesto, frente a estas "subespecies" se han erigido como los hombres ecuánimes, cultos y amantes del progreso los distinguidos, los de abolengo, los de poder y tradición. Podemos también, seguramente, aprender a querernos un poquito más, a envidiarnos con cariño...»[2]) Y alarma la exacerbación y explotación utilitaria que de ese sentimiento hace determinada concepción de la política, sobre todo en los periodos electorales. (También fuera de ellos: en la Convención del Partido Socialcristiano, celebrada en Guayaquil en marzo de 1998, un ex Presidente costeño habló de «la oposición odiadora, fundamentalmente serrana e izquierdista», lo que autorizaba, automáticamente, a otros dirigentes políticos a hablar, con razón, de una oposición, también odiadora, fundamentalmente costeña y derechista.)

2 Cecilia Velasco: «Queremos fronteras abiertas», *HOY*, Quito, 23 de abril de 1999.

Así, el fantasma del regionalismo sirve como excusa de la propia ineficacia y hasta de la mediocridad. Bucaram decía que la prensa lo atacaba por ser de Guayaquil: no por payaso corrupto y calumniador. «¿Y el Expreso?» le preguntaron. «Es el diario serrano que tenemos allá» contestó[3]. Pero el prófugo de la justicia en Panamá es también ventrílocuo: en cuanto un títere suyo anunció, como razón y objetivo de su candidatura, querer «realizar su sueño de ser presidente de la República» que tuvo desde niño y el único que no se le había cumplido, dijo que le hacían «una campaña sucia en la Sierra, por ser costeño». O sea que no lo critican «por su ninguna formación como estadista, por su ninguna experiencia en la administración pública,

---

3 Había decidido no volver a ocuparme de ese individuo —el único que logró hacer que el Ecuador se avergonzara ante el mundo y cuyo gobierno constituyó un escupitajo en esa página de nuestra historia—, e incluso reducir, en el presente libro, las páginas relativas a él, considerando que cumplieron oportunamente su finalidad. Pero dado que aún vocifera y opina, condena los acuerdos de paz, critica, acusa, calumnia, insulta al Nuncio Apostólico y a los prelados católicos, mueve los hilos según los cuales actúan sus títeres en el país, supeditando los intereses de la patria toda a una soñada amnistía para que el corrupto vuelva a enriquecerlos y avergonzarnos sin descartar una nueva postulación en próximas elecciones, exige la colocación de su retrato (dolorosamente realizado por un gran artista) en el Salón Amarillo de la Presidencia de la República, y reclama remuneraciones «a las que tiene derecho» —¿sueldo mensual pagado por el erario nacional al ladrón de los fondos públicos?—, pienso que la supervivencia del bucaramismo solo es muestra de un odio regional y que «cabe mantener vivo el recuerdo de algunas vergüenzas contra aquellos que no tienen ninguna» (la frase es de Diego Araujo Sánchez).

por su escasísima capacidad de comunicación o
de debate de ideas, ni siquiera por su flamante
intento de comprar la Presidencia a cualquier
precio [...] sino por ser costeño»[4]. De lo cual podría desprenderse —según la frase que circula
con la regularidad de las elecciones— que, por
una suerte de solidaridad regionalista, «mono
vota mono», independientemente del nivel intelectual y moral del candidato, de no ser por cierto desmentido histórico: un quiteño y un amba-
teño fueron elegidos alcaldes por el pueblo de
Guayaquil. (No sé, a este respecto, en qué ejemplo se basa ese «conocido defensor del Guayas»
que le dijo al periodista Alcides Montilla que el
ex vicepresidente Alberto Dahik está prófugo
«porque es mono, que si hubiera sido del altiplano estaría con casa nueva». ¿No fue, más bien,
ése el caso del funcionario costeño de un gobierno costeño, el mismo que estableció un asombroso principio de Derecho penal, «matar a los
comunistas como a los pavos, la víspera», es decir antes de que cometieran delito alguno, o el
de la ex alcaldesa de Guayaquil, de manos no
muy limpias, ambos prófugos que volvieron
tranquilamente, ambos borrosos, al país y que
tampoco son del altiplano?).

No recuerdo que un político serrano se haya lanzado jamás contra la Costa, lo que, pu-
diendo parecer una afirmación regionalista, nin-

4 Carta de Rodrigo Jácome González.

gún costeño niega y hay quienes lo explican diciendo que «eso no le convendría» a ningún candidato. ¿Quiere ello decir que atacar a la Sierra sí es electoralmente rentable? Supongo que en semejante cálculo solo entran consideraciones de carácter numérico y que nada tienen que ver en él la calidad humana de quien va a ser elegido ni el comportamiento cívico de los electores.

Tengo conciencia de que ser serrano no es garantía contra el populismo: aunque a la Sierra, y de modo especial a Quito, le corresponde el justo orgullo histórico de haber librado al país de quienes actuaron con el erario público como asaltantes de caminos, serrano fue ese oscurísimo candidato que en la última campaña electoral, en indignante burla a tantos millones de desocupados, ofrecía empleo en el extranjero con salario en dólares, y serrano ese ministro de Obras Públicas que con turbios argumentos excluyó a las provincias del Guayas y de Los Ríos de un contrato para la reconstrucción vial de la Costa... Pero fuimos serranos también quienes defendimos la dignidad de «la otra región» cuando denunciamos que la grosería, el insulto a todas las instituciones y personas, la limosna política, el robo a mansalva y hasta la estupidez no constituían «el nuevo estilo de la Costa», que ese gobierno pretendió implantar en el país, sino que estaban extraídos del lumpen del que provenía. (Ejemplos del modo de ser de la Costa, que deberíamos imitar en el resto del país, son sus formas de organización para enfrentar problemas colectivos: la creación de cooperativas, las mingas para la reconstrucción tras el desastre, la vigilancia y ayuda solidaria contra la delincuencia, el voluntariado de Guayaquil que dio la prueba más palpable de su labor durante los embates de El Niño.) Ni pudimos considerar como «estilo de Guayaquil» el gesto de la alcaldesa tirando desde un balcón paquetes de Navidad a la multitud empobrecida de la calle, parecido al del candidato que desde la camioneta que le sirve de tarima arroja camisetas a los peatones con quienes se cruza, como para no contaminarse de pueblo. O que indica con el dedo a quienes, de entre los curiosos, el corpulento guardaespaldas y guardafondos puede entregar un billete de cien dólares. En un país donde morir de hambre es casi complemento del gentilicio, resulta infamante hacer ostentación de haber amasado un capital de cien millones de dólares e ir por ahí tirando, a más de la oferta imposible de casas, medicinas o bolsas de alimentos, dinero del que puede deshacerse sin que haga mella a su fortuna. Aquellos a quienes no les tocó el envidiable billete verde con el retrato de Franklin, deben haberse preguntado por qué, una vez más, Dios, en su infinita bondad y misericordia, decidió que siguieran siendo pobres sin siquiera ese alivio electoral. (Lo cito aquí, un poco a deshora, porque nada hace suponer que políticos de su calaña, o él mismo, no vuelvan a emplear semejantes procedimientos en el porvenir.)

Por toda esa desconsoladora actitud, quizás hoy, más que nunca, debamos recordar y repetir los emblemas «Guayaquil por la patria» y «Quito es de todos», que sus más lúcidos habitantes pusieron a las principales ciudades del país, para determinar su vocación y su destino, contra las mutilaciones y odios que propugnan torpemente esos ecuatorianos fragmentarios o incompletos, ecuatorianos a medias. Y ello sería infinitamente más útil, profundo e imperecedero que la costumbre, reforzada por la práctica y no por la lógica, de juntar —como reclamo de igualdad o como imposición de un derecho más que con un afán de unidad o de fusión— a la Costa y la Sierra en la papeleta de votación para presidente y vicepresidente de la República. O que la proposición, supuestamente seria, de que, debido a una inmanente «ley del péndulo», deberían alternarse en la presidencia políticos de las dos regiones, entendiéndose, en la práctica, de sus dos ciudades principales. ¿Solo así, y solo ellos —con menosprecio del resto del país—, buscarían el bien de la patria o estarían al servicio de ella, según las incompletas y vagas definiciones?

Es elocuente, a este respecto, la cuenta que ha sacado, con cierta alarma, un político costeño: «Cuando lleguemos al año 2002 se habrán cumplido 23 años del retorno a la democracia en el Ecuador. De ellos, solamente seis hemos sido gobernados por presidentes costeños. El resto, es decir 17 años, corresponden a políticos de la Sierra. Pocas épocas de nuestra historia reflejan semejante hegemonía». ¿Habría sido mejor al revés? ¿Habría sido la proporción ideal la de once años y medio de hegemonía de cada región, tal vez? Porque, pocos días después, el ex presidente de la República y alcalde Guayaquil, para quien cualquier medida relativa a la reorganización del sistema financiero obedece a presiones de «ciertos bancos quiteños contra Guayaquil», afirmó: «No se me diga que estoy fomentando el regionalismo, pero la Costa ha perdido su liderazgo.»[5] ¿Debería seguir teniéndolo, eternamente? Puesto que añadió, como una intimidación: «...la Costa tendrá que utilizar todos los mecanismos civilizados para defenderse y llegar incluso a los no civilizados.»[6] ¿A cual de los dos pertenece su amenaza de armar a la población de Guayaquil, hecha dos meses después?.

Pero la culminación de la insolencia y, en este caso, hasta de la estulticia regionalista la alcanza el 14 de julio de 1999, en *El Telégrafo*, de Guayaquil —diario de propiedad del propietario

5 León Febres Cordero, *El Comercio*, Quito, 19 de marzo de 1999.
6 Idem.

del Banco del Progreso, apresado por estafa a sus clientes y a los contribuyentes y de estafa al erario nacional— Freddy Bardellini Burbano, quien, al referirse a esa dentención, dice: «...me conmoví y sentí la misma indignación que siento cada vez que he presenciado las actitudes de un grupo de quiteños que, ensañados con monopolizar todo lo que existe en este país, ha venido fastidiando a los costeños que representan a la provincia del Guayas[7]. [...] en el momento en que Guayaquil y la Costa lo decida [sic], será destituido Mahuad, aunque aduzca tener el respaldo del Fondo Monetario Internacional, del Gobierno de los Estados Unidos y de las Fuerzas Armadas que no podrán contener la decisión popular. [...] Quedan dos alternativas para detenerlos: la acción de las fuerzas políticas, económicas y sociales de la Costa o el inminente estallido social que terminará en la expulsión de la Costa de todos los serranos y la independencia de las provincias de la Costa.»[8] (No voy a preguntar qué pensaría el obsecuente defensor del banquero fraudulento si en Quito alguien fuera capaz de escribir, y algún diario de publicar, semejante torpeza, invirtiendo los términos. Recuerdo, eso sí, que la estupidez del regionalis-

---

7 El Superintendente de Bancos, guayaquileño, había afirmado que «el Banco del Progreso no puede representar a Guayaquil ni a ninguna ciudad».

8 Citado por Simón Espinosa, en «Windows 99», HOY, 17 julio de 1999.

mo es, entre nosotros, lo único que no tiene límites.)

El argumento más socorrido del regionalismo es el de que unas provincias, por la importancia de su aporte al presupuesto, y otras por su pobreza ya habitual, deben ser mejor atendidas por el gobierno central —lo que es indiscutible y justo y por ello hay un consenso nacional por la descentralización, a la que solo parecen oponerse los maestros y los choferes—, con la inevitable amenaza de que, de no cumplirse sus exigencias, irían al paro e incluso, ahora, a la «independencia». Razones que se exponen para justificar esa peligrosa insinuación de un proceso de secesión —que en Estados Unidos condujo a la única, y despiadada, guerra de su historia en su propio territorio— son, entre otras, las cifras relativas a las inversiones financieras de las entidades públicas nacionales, que en el año de 1998 ascendieron a 67,8% en la Sierra, y a solo 32,2% en la Costa[9]. Sin embargo, en una decla-

---

9 A tales cifras cabe oponer las que establece la Dirección General de Rentas, tras un análisis comparativo del aporte tributario en las provincias de Pichincha y Guayas, en 1996 y 1997, según el cual —pese al hecho de que el mayor volumen de importaciones y exportaciones se hace por Guayaquil— la primera habría pagado, en 1996, 110.970 millones de sucres más que la segunda, y en 1997, 267.437 millones más. Por lo que hace a las inversiones del sector público en entidades bancarias privadas, entre julio y diciembre de 1998, según el Banco Central, ellas ascenderían, en la Sierra, al 57% y en la Costa al 42%, pero entre enero y febrero de 1999, a los bancos de la Sierra se destina el 45,86% mientras a los de la Costa ingresa el 54,14%.- *HOY*, 15 de abril de 1999.

ración reciente, el presidente del directorio del Banco del Estado informó que «desde enero de 1998 hasta febrero de 1999, en los bancos de la Costa se invirtió 10,92 por ciento mientras que en la Sierra fue de 9,67 por ciento»; anteriormente, «hasta el 4 de febrero [de 1997], fecha en que terminó la administración de Abdalá Bucaram, el Bede realizó inversiones favorables a bancos de la Costa, ya que se invirtió un 95,21 por ciento, mientras tanto que [sic] en la Sierra fue 4,79 por ciento.»[10] Pese a las cifras, algunos empresarios, banqueros y políticos (que suelen ser los mismos) parecen deducir la necesidad de «impulsar un recio reclamo de organizar el Estado bajo un régimen provincial autónomo, con recursos propios y atribuciones especiales.»[11] Pero ninguno de ellos se ha puesto a calcular a cuánto deberían ascender esos recursos propios a fin de que cada provincia asuma su responsabilidad en materia de educación, vialidad, salud, seguridad, a más de la parte «proporcional» que le correspondería en el pago de la deuda externa, en el mantenimiento del ejército nacional y otros gastos militares, todo ello en un país sin ninguna madurez política, sin respeto por sus instituciones y, a consecuencia de ello, víctima, precisamente en las provincias, de la arbitariedad de los caciques.

10 *El Comercio,* Quito, 13 de mayo de 1999.
11 Miguel Macías Hurtado: «Perjuicio a la Costa», *HOY,* 1 de marzo de 1999.

Según el informe del Ministerio de Finanzas sobre la recaudación de impuestos en 1998, la provincia de El Oro —que ya en la desenfrenada orgía bucaramista amenazó con independizarse— pagó ese año 11.000 millones de sucres por concepto de impuesto a la renta, o sea tres veces menos que Tungurahua, con 31.000 millones, y siete veces menos que Azuay, con 77.000 millones. Por concepto del IVA interno (bienes y servicios), esa provincia costeña entregó al fisco, en el mismo año, 1.700 millones, es decir 15 veces menos que Tungurahua (26.000 millones) y 45 veces menos que Azuay (82.000 millones). «Aquí solo caben dos posibilidades: o El Oro es una provincia pobrísima, o no paga el IVA. En cualquiera de los dos casos resulta falsa la cantaleta de que el Fisco se lleva la plata de los orenses en beneficio de otras provincias.»[12] Y, en cualquiera de los dos casos, no parece posible que El Oro satisfaga con sus propios recursos todas sus necesidades, sin recurrir, como siempre, al gobierno central.

Según el informe citado, sumados todos los impuestos, la provincia de Pichincha entregó al Fisco, en 1998, la suma de 3 millones 482 mil millones de sucres, mientras que la de Guayas contribuyó con 3 millones 85 mil millones. «Y sin embargo Guayas recibió un millón 600 mil

12 Francisco Borja Cevallos: «De mitos, cuentos y leyendas», *HOY*, 23 de abril de 1999.

millones del presupuesto de ese año, mientras Pichincha solo recibió un millón 100 mil millones[13]. Manabí (la segunda provincia que anunció su aspiración a la independencia, e insiste en ella) contribuyó al Fisco con 178.000 millones de sucres y recibió 591.000 millones, o sea tres veces más. La provincia de Loja entregó 20.000 millones y recibió 455.000 millones[14]. Las cifras demuestran así la falacia de los argumentos regionalistas basados en «el aporte de la Costa a Quito», en el «centralismo absorbente», y en «el olvido que sufren las provincias pequeñas», por parte del gobierno.

Algunos interesados han comenzado a sondear, recientemente, y con irresponsabilidad, la posibilidad de crear «autonomías regionales», hasta el punto de afirmar que «transita por el país con paso cada vez más firme el fantasma de la secesión», y que emplean, como si fueran sinónimos, los términos de autonomía, independencia, separación, federalismo... Invocan, como ejemplo desesperado a falta de argumentos sólidos sobre la viabilidad de su proyecto, casos como el de la República Confederal de Suiza, sin tomar en consideración el peso que allí tuvieron, para la conformación de un Estado, las enormes diferencias de lengua, tradición y cultura entre los grupos étnicos (o verdaderas na-

13 *El Universo*, Guayaquil, 21 de abril de 1999.
14 Ibid.

ciones) de origen francés, alemán, italiano y ro-
manche —similar, en ello, a la España de caste-
llanos, catalanes, gallegos, vascos, canarios..., y
que solo reconoció la autonomía, no la independencia de la Generalitat de Catalunya[15]— que no
se dan entre nosotros; o el de Estados Unidos,
que nació como Estado federal por la unión de
colonias que habían sido fundadas por españoles, holandeses, franceses e ingleses. De ahí que
Carlos Fuentes se pregunte: «Supongamos que,
el día de mañana, las tres cuartas partes de la
población de California es [sic] hispanoparlante
y de origen mexicano. ¿Cómo respondería Was-
hington a un separatismo californiano? ¿Cómo,
a una voluntad californiana de reintegrarse a
México? En otras palabras: ¿Qué derecho pri-
ma? ¿El de la nación o el de la región? ¿El de la
identidad cultural o el de la soberanía nacional?»[16] (No recuerdo que hayan citado ejemplos
a los que no puede aplicarse semejante diversidad de lengua, tradición y cultura, tales como
los Estados Unidos de Brasil o de México, quizás

---

15 El mismo día —8 de febrero de 1999— en que el diario *HOY*
publicaba unas declaraciones hechas en ese sentido por Ricardo Noboa, *El Comercio,* de Quito, daba cuenta de que el
Gobierno y los partidos políticos españoles «reaccionaron con
ira a la creación, en Pamplona, de una "institución nacional
vasca"», acusando a los promotores del proyecto «de emprender una aventura independentista con consecuencias impervi-
sibles», calificándola de «una pantomima que constituye una
verdadera provocación».

16 Carlos Fuentes, «Kosovo y el nuevo orden internacional», *El
País,* edición internacional, Madrid, 4 al 10 de mayo de 1999.

porque la miseria del Nordeste, en el primer caso, y la de Chiapas, en el segundo, no parecería ser, propiamente, el paradigma de la prosperidad de una provincia «dueña de sus propios recursos» que prometen los «independentistas».) Un movimiento, con el nombre sospechoso de «Fuerza Ecuador» —que recuerda el lema fascista «Arriba España», el populista «Forza Italia» y, más cerca de nosotros, el débil y demagógico «Adelante Ecuador Adelante»—, pretende impulsar «una propuesta» de Autonomías Provinciales» para lo cual «cada cantón será responsable de recaudar todos los impuestos nacionales y locales dentro de su jurisdicción, retener los porcentajes pertinentes y distribuir el resto entre los entes provinciales y el gobierno nacional»: de no haberse publicado en los diarios del país[17], sería difícil creer que alguien proponga semejante «nuevo sistema», dada la comparación entre lo que cada provincia, por no hablar ya de cantones, aporta al Fisco y lo que recibe del gobierno central. Uno de los principales propulsores de ese movimiento, más hábil para la política divisionista que para la creación de metáforas, empleó, a este respecto, la ya gastada imagen de la «herida abierta», utilizada para referirse al problema con el Perú, señalando, acertadamente, que ahora tenemos que luchar contra un «enemigo interno». Mas, en lugar de opo-

17 El 3 de abril de 1999.

ner la solución de la paz a la lucha contra ese enemigo, que es ese tipo de regionalismo, propugna lo que, lejos de toda intención literaria, sería una suerte de guerra interna: el movimiento separatista —que nada tiene que ver con una nueva distribución político-administrativa del país ni con los interesantes proyectos de reordenamiento geopolítico y de «desarrollo regional horizontal» que comienzan a elaborarse— no hará sino exacerbar el regionalismo hasta límites trágicos, puesto que se recurrirá a él como soporte de una campaña turbia: la «autonomía regional» ha sido propugnada y apoyada, desde su comienzo, por los caciques de la Costa y la extrema derecha, quienes convocaron, en la provincia del Guayas, a una «consulta», con preguntas tendenciosas que apuestan a respuestas obvias, para el 23 de enero del 2000.

La ceguera voluntaria y la mala fe de quienes basan su popularidad en el «patriotismo» de la patria chica, pretende comparar Quito, capital de la provincia del Pichincha, con cualesquiera otras capitales provinciales a las que les estaría arrebatando lo que les corresponde, como si no fuera, al mismo tiempo, capital de la República y sede del gobierno, a cuya construcción lúcida, ampliación inevitable y correcto funcionamiento debe contribuir el país entero. Igual actitud supone considerar a Guayaquil únicamente como capital de la provincia del Guayas y no como el puerto principal del Ecuador y la ciudad que alberga a una sexta parte de su población, en un alto porcentaje proveniente de todas las regiones: supongo que ello explica el hecho de que, en las planillas del servicio telefónico, tras la facturación por los distintos tipos de llamadas, aparece el rubro «Impuesto Agua», equivalente al 10%, largo tiempo destinado a Guayaquil, como hubo que hacerlo, también, para los bomberos, y en la recaudación del nuevo impuesto del 1% a las transacciones comerciales, el 25% (voluntario) se asigna al proyecto «Malecón 2000». (Por lo demás, idéntico «centralismo» se advierte en todas las capitales de provincia respecto de los demás cantones: la península de Santa Elena aspira a la autonomía, «idea vieja» que un alcalde se ha propuesto «reactivar» porque los balnearios no quieren depender de Quito, pero tampoco de Guayaquil.)

Lo anterior se refiere a cálculos estadísticos relativos a ingresos y egresos del presupuesto. Y aunque no he visto, en cambio, quizás porque es incalculable, referencia alguna a la contribución que cada porción de «patria chica» ha hecho a la historia y a la cultura de la patria a secas, a la noción de país, a la «ecuatorianidad», también en este ámbito hay «regionalismos», que no sabría decir si son positivos para la múltiple integración nacional: me refiero a editoriales y revistas de provincia que publican exclusivamente libros o colaboraciones de quienes han nacido o viven en ella. El «enriquecimiento» literario, en el que habría que creer pese a la fragmentación, se ha hecho a base de antologías de la poesía de Loja o del Tungurahua, o de cuentos guayaquileños o de otro gentilicio. ¿No habría una protesta, airada y con razón, si en Quito, considerada como capital de la provincia de Pichincha, se publicaran únicamente colecciones de relato o poesía local?[18]

Casi la misma esperanza que suele ponerse en el equipo de gobierno surgido de las urnas electorales cada cuatro años es la que el país deposita en la selección nacional, cada cuatro años, con ocasión del Mundial de Fútbol. La diferencia está en que, en el primer caso, no sabemos muy bien qué esperamos: la solución de problemas viscerales que, por ser eternos, han pasado a ser puros conceptos o ideas para quienes no los sufren: el hambre, la enfermedad, el desempleo, la miseria, la deficiencia de todos los servicios (¿quién habla de falta de oportunidades, quién de la necesidad de rehacer nuestra facultad de participar en la construcción de la realidad, quién de nuestra urgencia de ser considerados como ciudadanos sujetos de derecho que toda autoridad debe respetar cuando nos

18 Acabo de escuchar, antes de reescribir estos renglones, a un vendedor ambulante de mapas del Ecuador, que voceaba su propaganda indicando que en él «aparecen las islas Galápagos y la provincia del Guayas».

sentimos agredidos incluso por cualquier entrometido en el Poder?), hasta el punto de que cada ciudadano sugiere una solución y ningún gobierno la encuentra, porque uno y otro la ven,
obviamente, desde su punto de vista. En el segundo caso queremos clasificar hasta las finales,
y esto es reciente: antes no aspirábamos a tanto,
sabíamos que no podíamos, que éramos débiles,
siempre íbamos a aprender «porque lo importante no es ganar»; ahora vencemos nuestra
convicción de ser mediocres o malos gracias al
partido precedente que nos hizo abrigar ilusiones. Pero no tenemos suerte... Si perdemos antes de hora, la culpa es del director técnico, como la culpa es del presidente de la República.
Nosotros, tan patriotas, en las dos actividades en
las que parece centrarse y demostrarse nuestro
patriotismo, hemos entregado a dos individuos
—a quienes les toca conformar el equipo, que
también será culpable de los triunfos no alcanzados— la patria, sin darnos cuenta de que así
renunciamos a ella, que era nuestra, y luego nos
resulta difícil recobrarla. Haciendo lo que puede
cada uno para sí, a veces para sobrevivir, a veces para progresar —y otros con la obsesión del
dinero rápido mediante la estafa a los demás—,
nos hemos convertido en espectadores de nosotros mismos y, lo que es peor, en espectadores
pasivos de nuestra indolencia, de nuestra desgracia, de nuestra desconfianza en los otros y en

nosotros mismos, de nuestra triste falta de solidaridad y esfuerzo.

No sé si viene a cuento aquí o si es una simple asociación de ideas. Entre numerosos ecuatorianos consultados sobre aquello que primero recordaban de la historia nacional, el 80 por ciento señaló el asesinato de García Moreno, el arrastre de Alfaro y la mutilación territorial. No el nacimiento de esos héroes, no las grandes creaciones civiles y cívicas del primero, sino su caída, a machetazos, desde el cuarto balcón del Palacio de Gobierno, en un complot en que la venganza de los conjurados obedecía a asuntos de faldas y a fusilamientos; no la Revolución Liberal que cambió las líneas de la mano del país, sino el «satánico sacrificio», por el cual, tras jugar con los testículos del Viejo Luchador, «meretrices y hampones, agitadores fanáticos» (Alfredo Pareja Diezcanseco) y «personas bien conocidas por su filiación en las filas conservadoras» (Pío Jaramillo Alvarado), quemaron en El Ejido lo que quedaba del cuerpo arrastrado por las calles. No es antojadizo suponer que, si se hubiera hecho la pregunta en los Estados Unidos, la respuesta se habría referido a la Declaración de la Independencia y no al crimen cometido contra Lincoln por un actor mediocre en un teatro donde se estrenaba una obra mediocre, y si en Francia, a la toma de la Bastilla y no a Marat asesinado en su bañera por Charlotte Corday. ¿Se trata aquí de la fascinación que ejerce la muerte del héroe porque ella ratifica su heroísmo, o de la fe absoluta en el destino adverso de los elegidos o la predilección por la sangre, ya advertida en la representación quiteña de Cristo crucificado? No llega a ser consolador que solo el 20% de los entrevistados recuerde, y esto es suposición pura, los hechos históricos más o menos gloriosos que podrían confortarnos al evocarlos y darnos ánimo y fe para repetirlos, tales como la obra de esos mismos personajes o, antes, nuestra Declaración de la Independencia, la primera en América Hispana; o procesos como la creación, en tan corto tiempo, de una patria cuyo destino le está señalado, según Benjamín Carrión, por la realidad: dado que «no podemos, ni debemos, ser una potencia política, económica, diplomática y menos —¡mucho menos!— militar, seamos una gran potencia de la cultura, porque para eso nos autoriza y alienta nuestra historia»; o el pacifismo de un pueblo que jamás emprendió agresión alguna y que, pese a encontrarse, como en una tenaza, entre la violencia del narcotráfico y de la subversión en los países vecinos, sigue siendo lo que fue y ha sido. (El unánimemente condenado asesinato del dirigente político Jaime Hurtado, perpetrado, al parecer, y atribuído, por otros, a un "crimen de Estado", por extranjeros, es, y ojalá siga siendo, una excepción.) Quiero decir, recordar instantes o periodos con cuya evocación podríamos abandonar la tendencia a la lamentación y la queja, como si siempre se nos estuviera muriendo alguien, también sin merecerlo.

Las únicas manifestaciones de patriotismo auténtico, colectivo, acumulado —al punto de parecer permanente— que he visto en el país y en las que me ha tocado participar en cincuenta años, son aquellas con que ejercimos el derecho a derrocar gozosamente a un presidente arbitrario o corrupto. La primera vez —28 de mayo de 1944— no solo la llamamos revolución sino que la calificamos de «gloriosa», cuando nos deshicimos de un gobierno insolente, dictatorial y responsable del desastre territorial. La otra, el 5 de febrero de 1997: un periodista la llamó «la revolución más chiquita de nuestra historia», pero no pretendimos sino expresar la voluntad popular contra un gobierno vulgar y ladrón, y de cambiar la práctica política que hizo posible que llegaran al poder delincuentes de esa calaña. La gente, ésa que aguanta paciente y en silencio, buey manso del que el pícaro debe huir, salió a decir algo, a hacer uso de su derecho a hablar, ni siquiera pensó, en ese momento, en elecciones de uno u otro tipo, no tuvo tiempo para ello: quiso un sistema político nuevo, diferente, en el cual verse representada y participar. Claro que tampoco creimos que todo el cambio por el cual dos millones de personas llenamos calles, plazas y carreteras iría a ser escamoteado ante nuestros propios ojos. Lo único que quedó de esa fiesta de civismo fue la repulsa general de la corrupción, la obscenidad y la guachafería (peruanismo insustituible, puesto que significa lo que parece y suena a lo que es) y, quizás, la convicción de que podremos volver a hacerlo cuando se ofrezca.

(Solo en Europa —la primera vez lo leí en *Bolívar, un poema griego*, de Nikos Engolopoulos— suelen llamar a nuestras guerras de emancipación «la revolución sudamericana». La palabra «revolución» parece ejercer entre nosotros un atractivo romántico, más sonoro que real, puesto que la empleamos en lugar de llevarla a la práctica: hablé ya de las supuestas revolución de las alcabalas y revolución de los estancos o de los barrios de Quito. No hemos sido, en todo un siglo, revolucionarios sino reformistas, o, para seguir usando el término, nos hemos conformado con «revoluciones de un día»: eso fueron los movimientos de 1944 y 1997, porque exigimos cambios formales, transitorios, hasta el punto de que en esas rebeliones participaron, como dirigentes o como usufructuarios, representantes políticos de las ideas que debieron combatirse y de clases sociales que habrían debido ser económicamente liquidadas o disminuidas en su poder político por una verdadera transformación social. Aquí, desde la Independencia, la única revolución ha sido la Liberal[19]).

Sin embargo, después de cada uno de esos movimientos, más aún, después de cada elección de gobernantes, tenemos, innata más que ideológica, la esperanza de encontrarnos, al despertar, con un país vuelto a nacer: también por pura suerte, porque nada concreto hicimos para ello. Vuelto a nacer sin la mancha original —¿porque nos viene desde Juan José Flores y la primera República a todos sus descendientes?— del desprecio, la discriminación, el abuso. Ahora, el anhelo de «refundar el país» o de «fundar la Segunda República del Ecuador», a que se recurre en periodos preelectorales, tiene remotas bases ideológicas identificables pero que, demasiado idealistas, no se afirman en la realidad: no toma en cuenta que los fundadores de imperios, de países o de ciudades existieron antes de su obra y, como la esperanza es más tenaz que la decisión, nos aventuramos a creer que pueden desempeñar ese papel histórico los «organismos sociales», contradictorios en su ideología e indecisos en sus propósitos puesto que lo son también en su conformación, cada uno de ellos va-

19 La revolución «supone una modificación institucional profunda. La insumisión contra las instituciones de un Estado que no implique cambios institucionales radicales no es un movimiento revolucionario sino sólo una rebelión contra una situación de abusos e injusticias.» Alfonso Guerra: *Diccionario de la Izquierda*, Barcelona, Planeta, 1998.

gamente representado por alguien designado mucho antes de que se le atribuyera semejante responsabilidad mesiánica, o algunos individuos llenos de buena voluntad pero también de inexperiencia, o que podrían encontrar, a su vez, a los apóstoles de la ansiada refundación. Quizás todo ello no sea sino la comprobación del viejo axioma: «Un país que olvida su pasado, está condenado a repetirlo».

Pero en febrero de 1997 vi a jóvenes que por primera vez salían, aprendices de ciudadanos, a manifestar en las calles. Entonces volví a oír cantar el Himno Nacional —pude cantarlo yo también— con el convencimiento de que, pese a todo, era el nuestro, nos pertenecía, en nombre de cuantos lo cantaron antes en jornadas como aquella. (A veces con menos suerte: con frecuencia, cuando lo cantábamos revelábamos nuestra ralea popular de indeseables para el Poder: íbamos a pie y los que defienden y garantizan a los poderosos iban a caballo, antes de reemplazarlos por tanques.)

El ecuatoriano medio encarna un patriotismo fácil, barato por ocasional, visible solo en cuanto surge algún problema en la frontera, expresado únicamente con el grito de «¡Abajo el Perú!», y que alguna vez comparé con un instinto. Claro que hay allí una contradicción de principio, puesto que se trataría de un instinto suscitado, fomentado desde su imposición en el primer contacto con esa miniatura de la sociedad que es la escuela, donde «peruano» era insulto peor que «hijo de mala madre».

Es un patriotismo visceral, no sujeto a raciocinio. Se parece en ello al apetito venéreo primario, que se satisface con la violación, excluye la seducción e ignora el amor. ¿Cómo, si no, entender esas reacciones desmesuradas que revelan estupidez e irreflexión, cómo, si no, esa frase, «Nuestra meta es Lima», que alguien escribió en la avenida Colón de Quito? Sería interesante conocer a ese «patriota», saber si se encontraba en la primera línea del ejército defensor o iba a situarse en la del hipotético ejército conquistador necesario para llegar a «la meta». (Ni en la primera ni en la última: se trata, generalmente, de «patricios» o de «caballeros», según lo advirtió ya, en 1860, Friedrich Hassaurek, primer embajador de Estados Unidos en misión en el Ecuador: «Ya he dicho que los "caballeros" están exentos del servicio militar. Como regla general, las leyes y las costumbres son solo impuestas al pueblo. Nuestros vecinos han establecido una forma republicana de gobierno sin ser republicanos. Ellos aún se sujetan a sus tradiciones aristocráticas y virtualmente mantienen distinciones de clases y castas. Los descendientes de las viejas familias nobles aún mantienen con amor sus títulos nobiliarios.»[20]) ¿Qué opinaría el

---

20 Pablo José Mogrovejo: «Cruce de fronteras», Quito, *Domingo*, 5 de julio 1998.

«patriota» de algún idiota, semejante a él, que escribiera en un muro de Lima «Nuestra meta es Quito»? Quienes ensuciaron nuestras paredes con la consigna de «Haga patria. Denuncie a los peruanos», no pensaron que estaban otorgando una justificación a quienes pidieran, allá, denunciar a los ecuatorianos.

Parecería, pues, que se estableciera en tales casos una suerte de carrera o de concurso para ver quién es más patriota. «No ceder ni un milímetro de nuestro territorio» dice alguien y álguienes lo repiten. Como escritor comprendo la fuerza de la metáfora, pero quienes así hablan no son alumnos de preceptiva literaria sino que participan en una discusión de trazado de límites. Y, aunque son imaginarios, es preciso fijarlos en el suelo con hitos, mojones, señales, estacas, alambre de púas, y aun cuando esa línea divisoria se trazara con una hoja de afeitar, la tierra se desmorona a ambos lados, de modo que, de hacerlo, algún milímetro iría a parar donde no se quería. Difícil es, en momentos de competencia y exaltación, y además nadie querría hacerlo, controlar un patriotismo auténtico, reflexivo, que se mantuviera alejado del ridículo. Adolescente aún, entré en una cantina una noche del año 1941: no creo haber asistido jamás a una reyerta colectiva tan feroz, por el solo hecho de que uno de los parroquianos oyó, de todo cuanto alguien contaba de una joya de plata que había traído a su novia, solo la palabra Perú... Tal es el modo de actuar de numerosos individuos afectados de un patriotismo epidérmico y, no obstante, seguros de llevarlo en el corazón.

Hablo de esos locutores que se han ganado la vida anunciando detergentes o dentífricos con el mismo tono estentóreo de voz ensayado para cuando dieran la noticia del estallido de una Tercera Guerra Mundial, y encuentran, al fin, la ocasión soñada para anunciarla, aunque en escala reducida. O de esos propietarios particulares de megáfonos que, en las pequeñas ciudades, se atribuyen la dirección verbal, o sea de contenido, de unos desfiles de muchachas que parecerían celebrar una victoria, antes de alcanzarla, con consignas gritadas sin convicción ni entusiasmo. Y si antes se decía que el papel aguanta todo, ahora son, además, la tribuna, la plaza, el púlpito, el aula los que soportan la retórica, la grandilocuencia, el panegírico o la invectiva, con el agravante, para el estudio y práctica del lenguaje, de que la pereza mental para buscar sinónimos y la predilección por los lugares comunes han establecido unos adjetivos obligatorios si no se quiere correr el riesgo de ser menos patriota al escribir o hablar: «irrito Protocolo», «glorioso ejército», «heroico soldado», «cobarde agresión», «unidad monolítica», todo ello en torno a un país imaginario, que nunca tuvimos.

Hablando siempre de la concepción de la patria como propiedad personal y del «patriotismo» individualista, están también esas personas que, desde el primer día de lo que podría desembocar en un conflicto, se dedican a acopiar y acaparar en los mercados alimentos, herramientas, enseres básicos y que, sin vergüenza alguna, confiesan: «No quiero que mi familia sufra con la guerra», importándoles un carajo las demás familias que, por su culpa, podrían carecer de lo indispensable. No por injusta menos tonta, semejante actitud se basa en un mal cálculo: siempre reprochable por egoísta, avara, sórdida, puede entenderse en casos de inundación, terremoto, incendio —más cercanos en el recuerdo están los primeros días de la «alerta amarilla» respecto de una posible erupción del volcán Pichincha—, cuando la penuria dura quizás unas semanas, mas no tratándose de una guerra cuya duración, si larga, nadie puede prever, y, si breve, no merece la pena empujar en los supermercados los carritos repletos, con actitud, vergonzosa o triunfal, de traidores. (Igual es el comportamiento de quienes vacian los supermercados para ahorrar ¿cuánto? ¿el carrito con las compras para una semana? al primer anuncio —siempre tontamente anticipado— de un aumento de salarios o de una devaluación del sucre. Y están esos mercaderes, cuya falta de patriotismo o de solidaridad nadie se atrevería a insinuar si no quiere que le rompan la cara, que ven en esa ocasión, como en cualquier otra, festiva o dramática, la oportunidad de aumentar los precios, lo que llega a ser criminal cuando se trata de medicinas.) «Patriotas» son también los que, en circunstancias como aquella, envían a su familia a Miami, porque «mi señora es muy nerviosa, ¿sabes?». Sí, y sabemos también que los costos de la guerra —igual sucede con las epidemias y las catástrofes naturales— los pagan siempre los pobres de ambos lados: véanse los apellidos de los caídos en la frontera, a lado y lado, cuyas mujeres nunca tuvieron pasaporte.

Con ocasión de lo que llegó a llamarse «guerra del Cenepa» afirmé que convendría que el país entero y, en primer lugar, el gobierno, comprendieran que los indios, en particular los de la región amazónica (esos que, según un embajador nuestro en Estados Unidos, «dizque son ecuatorianos»), son, realmente, ecuatorianos y han defendido en la frontera, junto con el territorio nacional —¿quién habría podido hacerlo mejor que ellos si son los únicos que conocen el entorno en que se combate?—, sus territorios y el derecho a que se los reconozca como suyos y a ellos como ciudadanos plenos, no solo con derecho a voto sino, primordialmente, como dueños de una nacionalidad, de una lengua y una cultura gracias a las cuales supieron defender las nuestras. Y los shuar, durante medio siglo considerados como espías por ambos países, han sido los primeros, tras el acuerdo de paz —que fue «algo como la caída del Muro de Berlín» según uno de sus dirigentes—, en abrazarse y reconocerse entre hermanos. Y urge comprender que la «paz con dignidad» no se refiere solo a un arreglo limítrofe sino también, antes y, sobre todo después de él, a un arreglo con la sociedad, a fin de que el ladrón no sea funcionario ni diputado, ni el sobornado juez o policía. A fin de que ese niño, que no puede aún limpiarse los mocos y ya es capaz de trabajar o de mendigar —en ambos casos, con el primer dinero que recibe hace la señal de la cruz—, no sea la tarjeta postal que el extranjero envía de nuestro «país de turismo», ni la imagen que nosotros mismos tenemos de nuestra patria. Así podremos negarle razón a quien escribió: «No vayas a morir por un país que no existe». O repensar, allá y aquí, en esa inscripción ingenua, popular, decidora, que leí en una pared de Trujillo, en España: «Imagina que hay una guerra y no vamos nadie». Hacer realidad esa imagen sería tal vez la obligación que el futuro nos impone ahora, cuando el país ya «tiene piel».

Con oportunidad del conflicto de 1995, alguien en el Perú recordaba una frase del célebre Samuel Johnson: «El patriotismo es el último refugio de los canallas». A veces lo es. Pero deberíamos aspirar a que tampoco sea el de los candorosos o ingenuos, aunque siempre actúen de buena fe. El llamamiento de las autoridades a no jugar el carnaval en Quito estuvo bien cuando se trataba de volver productivos los dos días de ocio no legal que solemos tomarnos, pero el argumento «patriótico» de que «en la frontera el agua escasea», era enternecedor: no hay tubería capaz de llevarla desde la capital hasta allá. Asimismo, la decisión de la Intendencia de Policía de Pichincha que obligaba a los restaurantes, bares y discotecas a cerrar a las doce de la noche —lo que habría sido razonable si de ahorrar energía eléctrica se hubiese tratado—, se inspiró, ante todo, en un principio de solidaridad «patriótica»: «No puede ser posible [sic] que la gente esté festejando mientras en la Cordillera del Cóndor se derrama sangre.» Lo que no se entiende bien es la razón por la cual un comportamiento considerado justo, normal, legal, irreprochable hasta las 24h00, dejara de serlo a partir de las 24h01.

(Escribí los párrafos que anteceden en la mitad exacta de febrero de 1995. Con el cese del fuego volvió el optimismo, y con la celebración de la paz, en octubre de 1998, la esperanza, pero no fueron tan desproporcionados como para esperar que, con el establecimiento definitivo de una frontera territorial, se trace otra que separe para siempre el patriotismo de la sandez.

En otro libro[21] cité un pasaje de una entrevista hecha al gran filósofo y escritor inglés Bertrand Russell, Premio Nobel de Literatura 1950, que por ser pertinente reproduzco aquí, no sin «vergüenza ajena». A la pregunta del entrevistador: «Sir Bertrand Russell: usted ha hablado del nacionalismo. ¿Puede darnos un ejemplo?», él responde: «Sí. Una encantadora joven ecuatoriana asistía a una reunión de las Naciones Unidas. Adoraba montar en bicicleta y le sucedió en una ocasión que, en una pendiente muy pronunciada, perdió el control de su aparato. Podía haberse matado. Mi amigo Gilbert Murray le pregunta: "¿No tuvo miedo cuando la bicicleta rodaba cuesta abajo?" ¿Sabe lo que ella respondió? "¡Oh, no! Me dije: ¡Acuérdate que eres una ecuatoriana!"... He hecho reír a todo el mundo con esta historia.»)

---

21 J.E.A.: *Entre Marx y una mujer desnuda*, México, siglo XXI editores, 1976.

LA NUEVA GEOGRAFIA Y LA REESCRITURA DE LA HISTORIA

Curiosamente, lo hemos visto a propósito del regionalismo, nuestro patriotismo se basa en la geografía, no en la historia, que la explica y justifica. Que la historia es una utopía hacia atrás (me parece que empleó la palabra «retrospectiva») ha dicho, acertadamente, Federico Mayor, Director General de la Unesco. Pero nosotros hemos convertido la geografía en utopía: hablo, porque no tengo autoridad para más, a partir de mi generación. Aprendimos en la escuela que el Ecuador es un país libre y soberano, «en forma de abanico», situado al noroeste de la América del Sur, «que limita al Norte con Colombia, al Sur con el Perú, al Este con el Brasil y al Oeste con el Océano Pacífico». Creo que se lo han seguido enseñando así incluso a quienes son niños hoy. Tanto la forma como los límites se veían claramente en el mapa, optimista o engañoso, de Luis G. Tufiño que, por lo general, pendía de la pared principal de la Dirección, detrás del asiento del temible Director, y en el cual el maestro se daba modos para que nos pareciera que el Amazonas brillaba, como con luz propia, para nosotros: la margen izquierda, con el puerto de Iquitos en ella, nos pertenecía. No recuerdo cuándo supimos que el Marañón no era nuestro pero sí cuándo Túmbez dejó de serlo, porque repetíamos, para nuestros juegos, el grito de «Túmbez, Marañón o la guerra». Sobre todo para el juego de «territorio»: delimitado éste y partido en dos, cada uno de los jugadores lanzaba verticalmente un cortaplumas y, desde el punto en que caía, se trazaba en territorio enemigo una línea recta, con igual optimismo que en el mapa aunque, en ese caso, decidido por la suerte. No creo que hayamos aprendido, en la primaria, nada relativo al Tratado Herrera-García ni al Protocolo Pedemonte-Mosquera, y solo después pudimos comparar el territorio «actual» (habría sido hermoso poder emplear la palabra con la significación de «real, verdadero, existente, efectivo» que tiene en inglés) con el de la Real Audiencia de Quito, que añorábamos por algunas cartas antiguas. Y sin que hubiéramos oído hablar siquiera del Arbitraje español y *statu quo* de posesiones de 1936, en plena adolescencia nos cayó encima la guerra de 1941, con la ocupación de la provincia de El Oro y el sur de la de Loja, que sí sabíamos en dónde quedaban en el mapa.

Las manifestaciones de quienes pedían armas para ir a combatir fueron las primeras en que participamos y gracias a ellas se nos permitía volver tarde a casa, después de terminadas las clases en el colegio. Se decía con insistencia, desde el 5 de julio hasta el 7 de septiembre de ese año, que a los soldados nuestros se los abandonó, se los dejó solos, que no había comunicaciones, que faltaban las municiones o que las que se enviaban no correspondían a las armas, que nuestro presupuesto de guerra era miserable, que estábamos en menor número, que éramos débiles, que la intervención hitleriana en el conflicto decidió la victoria del Perú... La verdad apareció más tarde: el coronel Carlos A. Guerrero, ministro de Defensa del gobierno de Arroyo del Río, informó que nuestro ejército, «sin reservas, armamentos ni equipo adecuado, es débil en todas sus partes. Solamente hace un acto de presencia y soberanía. En consideración a la debilidad militar del Ecuador y a fin de salvar su existencia, el país debe resueltamente sacrificar sus aspiraciones sobre el Marañón y aceptar sin regateos la línea que los mediadores consigan del Perú, cualquiera que sea.» El presupuesto para la guerra, según el Alto Mando Militar, era de 5.000 millones de sucres. Un jurista ecuatoriano ha recordado que en ese año el Presupuesto General del Estado ascendía a 100 millones, o sea que para cubrir los gastos de la guerra con el Perú se necesitaba conseguir una cantidad cincuenta veces mayor que la totalidad de los ingresos que se esperaban recaudar en el año de la invasión. En enero de 1942, de la Conferencia de Cancilleres de Rio de Janeiro salió el Protocolo. Supimos que fue impuesto por la fuerza, dado que las tropas peruanas no se habían retirado aún de nuestro territorio, que fue impuesto también por Estados Unidos —y los demás garantes—, que no podía ocuparse de una «guerrita» como ésa en América dado que estaba ocupado con la Guerra Mundial, la grande, en Europa. Mucho después, en 1998, supimos la verdad, resumida en las célebres palabras del canciller brasileño Graça Aranha: «No es posible desatender realidades, y esta es una oportunidad única, tal vez la última, que a ustedes se les presenta para resolver pacíficamente el problema. Un país no puede vivir sin fronteras y le es preferible ser más pequeño, pero saber a ciencia cierta lo que le pertenece. Tengan piel. Un país que no posee fronteras es lo mismo que un hombre sin piel. Ustedes necesitan paz antes que tierras. Si ustedes no arreglan ahora, el Perú prosigue la invasión. No se puede conseguir la suscripción de un protocolo preliminar. Por consiguiente, hay que ir al arreglo. Es preferible un sacrificio, aunque sea la pérdida de un miembro, a trueque de salvar el resto, y vigorizarlo luego.»[1]

1 Carlos Alberto Arroyo del Río: *Por la pendiente del sacrificio,* Guayaquil, Banco Central del Ecuador, 1998. Aunque escrito

Por haber firmado el Protocolo de Río de Janeiro, «en aras de la unidad y solidaridad continentales», el canciller ecuatoriano Julio Tobar Donoso y el presidente Carlos Alberto Arroyo del Río fueron acusados de traidores. (Algún chistoso pudo decir entonces que por culpa de un Arroyo y dos Ríos, perdimos el gran río.) Éramos muy jóvenes, el país y nosotros, para comprender, porque nuestros profesores no nos lo enseñaron, que el Ecuador pagó entonces un siglo de torpe conducción de sus negocios limítrofes, reduciendo a «una cuestión de límites» lo que era un problema nacional, de Estado. Y aunque el Congreso de la República ratificó el Protocolo, el odio popular se orientó hacia el gobierno, sobre todo a raíz de la promulgación de la impúdica Ley de Seguridad que otorgó al presidente «facultades omnímodas» con las cuales persiguió a cuantos no pensaban como él: Jaime Chávez Granja, uno de los profesores más brillantes que tuvimos en el Instituto Nacional Mejía, fue destituido por recordar que, ya desde su propia infancia, el Ecuador no limitaba al Este con el Brasil, porque Colombia cedió al Perú te-

entre 1949 y 1967 el libro entró en circulación el 16 de diciembre de 1998, por disposición expresa de su autor. Al haberse afirmado que la edición fue incautada —y hasta se quiso atribuir al Alto Mando Militar la disposición—, Agustín Arroyo Yerovi ha dicho: «Más bien esta espera correspondía al interés de mi padre que pasen 50 años desde la firma del Tratado antes de dar a conocer los hechos que el libro informa.» (*El Comercio*, Quito, 18 de diciembre de 1998).

rritorios que fueron nuestros y que se los cedi-
mos tontamente a ella en 1916. Y el odio, suscitado más por el despotismo altanero de Arroyo
que por la firma del Protocolo, condujo a la fiesta popular de su destitución en mayo de 1944.
Debió pasar mucho tiempo para que estudiosos
de la historia y de la política y el país entero rei-
vindicaran a Tobar Donoso como víctima expia-
toria de una situación que no tenía otra salida.

Cuando, en 1964, apareció la 19a. edición
del diccionario *Petit Larousse* con el mapa re-
cortado del Ecuador, yo, también patriota en fin
de cuentas, escribí a los editores protestando
por haber reducido nuestro territorio, aun cuando fuera con una línea de puntos, a las «preten-
siones peruanas». Me contestaron que, antes de
imprimirlo, se habían enviado pruebas de esa
página a ambos gobiernos, pidiendo su conformidad, y que solo el del Perú respondió. Después nos enteramos, en no sé cuál velasquismo,
de que «El Ecuador ha sido, es y será país amazónico», lo que pareció ser verdad solamente en
el membrete de la papelería del gobierno e instituciones aledañas: no estábamos en la margen
izquierda del río, nunca supimos de alguien que
hubiera ido al Amazonas, navegado en él o co-
merciado con sus poblaciones ribereñas del lado
de Ecuador. Y en nuestras olvidadas provincias
orientales preamazónicas, nunca se escuchó
una radiodifusora ni se vio una emisión televisa-

da ecuatorianas: a nadie le preocupó, como a las peruanas, que llegaran hasta allá.

Después se ha hablado con cautela sobre Paquisha y vino lo de «la herida abierta», luego con orgullo sobre Tiwintza y la Cordillera del Cóndor, mas, al parecer, quienes citaban a la primera no sabían dónde quedaba la segunda y viceversa. Pero una herida abierta mucho tiempo corre el riesgo de provocar una gangrena, y no es preciso ser médico para saber que, si no se la cierra, aun cuando fuera cauterizándola, habrá que amputar el órgano entero. Vino lo de «ni un paso atrás», como algazara heroica, pero reconocer, justamente y con valentía, la vigencia del Protocolo de Río sin exigir nada a cambio, era dar ese paso. Y nos enteramos, por algunos de los negociadores de la paz, de que jamás tuvimos un condominio amazónico, ni siquiera con el Tratado Herrera-García, y de que solo ahora podremos alcanzarlo: como quiera que se califique el acceso al Amazonas, interesa, más que ponerle un adjetivo, que sea libre, perpetuo, gratuito y continuo, como se ha acordado en Brasilia. Y esta fue la última, quizás la única, oportunidad que tuvimos para solucionar, ahora sí pacíficamente, el problema territorial, con ventaja para el país entero, es decir para todos sus habitantes. El estado de cosas anterior a la paz posible ha sido útil solo para quienes han vivido del «problema fronterizo», han basado en la vociferación sobre él un patriotismo desmentido por su comportamiento cotidiano o han querido convertir en bandera política un masoquismo que se basta a sí mismo refocilándose con «la humillación y la vergüenza del Protocolo», luego con «la limosna de Tiwintza» que, según algunos, «debíamos devolver [¿a quién, si pertenece a Ecuador?] y conservarla solo como un símbolo». Pero lo que interesa, ante todo, es que, mientras recordamos con recogimiento a «nuestros soldados que se cubrieron de gloria cayendo como héroes en la defensa de nuestro territorio», no caímos nosotros en la trampa sin gloria que significa suponer que la dignidad nacional consiste en aumentar su número.

En países como el nuestro, y en circunstancias como las actuales, en las que parecería advertirse, con el advenimiento de la paz, algo como un renacimiento de la confianza y del impulso necesario para avanzar, que habíamos perdido[2], esa utopía es, también hacia adelante. Cabe aquí, tal vez más que en cualquier otro sitio —puesto que la he utilizado con frecuencia—, entenderla, según proponía Lamartine, no como

2 Una sensación generalizada de esperanza en el porvenir y de confianza en nosotros mismos —en cada uno de nosotros— fue el resultado de la Exposición «Ecuador Alternativo 99», que se celebró en Quito del 13 al 17 de enero de 1999. Participaron en ella 117 organizaciones de todo el país, proponiendo soluciones cotidianas y de largo alcance, desde sistemas de riego en terrenos inclinados y medidas adecuadas para la vida en las laderas hasta una gran diversificación de las artesanías.

un sueño irrealizable sino como una verdad pre-
matura: la construcción de una patria posible,
grande por sus aspiraciones y realizaciones
—una vez que pueden destinarse a ella lo que
fueron eternos y pesados gastos de guerra—, justa con todos sus habitantes y que, según la concepción indígena del tiempo circular, tenga el
pasado por delante, a fin de verlo para no conti-
nuarlo ni repetirlo.

Puesta en su sitio la geografía —es decir la
concepción que de ella teníamos, porque ella no
se mueve—, debe ponerse en su sitio la Historia.
(He escuchado a José Saramago citar una frase
del filósofo y político Benedetto Croce: «La Historia es siempre contemporánea», en el sentido,
supongo, de que los hechos, a cualquier época
que pertenezcan, son interpretados y narrados
según el pensamiento y la sensibilidad de la época a la que pertenece el historiador.) En cuanto
alguien habló, y con acierto, de la necesidad de
reescribir la de Ecuador, hubo quienes gritaron:
«patriotas» a su manera, y coherentes con su obsesión limítrofe anterior a la paz, la desplazaron
hacia los manuales de escuela, que creían tan intangibles, y por la misma razón «histórica», como el Himno Nacional.

La historia es, precisamente porque se trata
de una utopía, una invención: también el historiador inventa, podría decir, interpretando los
célebres versos de Antonio Machado («Se mien-

te más de la cuenta/ por falta de fantasía:/ también la verdad se inventa»). Incluso quienes han sido testigos de los hechos o han participado en ellos los perciben diferentemente y cada uno los narra según su propia experiencia o representación: más que numerosas novelas policiales, el filme *Rashomon*, de Akira Kurosawa, es, quizás, la obra que con mayor acierto artístico explica ese fenómeno que, por lo demás, cabe perfectamente en la definición de novela dada por Emile Zola: «La naturaleza vista a través de un temperamento». Y el Comandante Fidel Castro sostenía, en un discurso de septiembre de 1996, que la verdad sobre la vida de los pueblos está en las novelas, por lo cual confiaba más en ellas que en la historia, frecuentemente tergiversada y adulterada.

Entendida la geografía como «Ciencia que describe y analiza la superficie terrestre y la localización y distribución en el espacio de sus diferentes elementos, modificados o no por la acción humana»[3], parece desprenderse, como lógica, la conclusión de que, una vez localizados y distribuidos los puntos que señalan, en la realidad política e histórica, nuestros límites verdaderos y no utópicos, debe emprenderse una reescritura de la historia. Veremos entonces que nuestros héroes no son solamente militares sino

3 El *Diccionario Enciclopédico Espasa* (Madrid, Espasa Calpe, 1995) es el único que trae semejante definición.

también campesinos, obreros e intelectuales, que el heroísmo no consiste únicamente en ganar batallas o morir en ellas sino también en construir la patria y su destino, que las fechas que celebramos son incompletas porque corresponden solo a aquellos hechos considerados como «históricos» y faltan las efemérides del espíritu, los anales de la «nación pequeña» por los cuales puede aspirar a ser una potencia cultural, según la teoría de Carrión. Y advertiremos que muchas manchas han sido cubiertas, muchos heroísmos, hipertrofiados, muchas acciones, explicadas al antojo de quien las describe. (Ya vimos, en el capítulo anterior, a dónde condujo la interpretación que Manuel J. Calle hizo del comportamiento de Abdón Calderón en la Batalla del Pichincha.) Además, reducida la historia principalmente a cuestiones de armas, quienes la leen forman filas en los bandos de los combatientes: de ahí que alguna vez dijera que nuestro país limita «al sur, con la cólera que nos tenemos los unos a los otros». Una vez desaparecida, limita con el Perú y, casi, diría que no hay límite: el intercambio súbito de personas e intereses se ha convertido en un proceso de integración que, siguiendo el ejemplo de los shuar, se viene realizando desde la firma de la paz, abarca por igual a cineastas, políticos, intelectuales, religiosos, empresarios, deportistas, jóvenes, comerciantes..., como anuncio del futuro. (Lo mismo sucedió cuando Francia y Alemania decidieron revisar, con asesoramiento de la Unesco, sus textos de historia, cargados de incitaciones al odio que, rebasando el simple orgullo patriótico y el resentimiento recíproco por tantas guerras, desembocaban abiertamente en una suerte de nacionalismo racista.)

No puedo dejar de citar, destinada de modo especial a quienes creen que la historia existe por sí misma, independientemente de quien la escribe, y que es intangible, una página de un texto que enseñaba así a los niños de España —a algunos niños, por lo menos— el proceso del mestizaje en América Latina. Dice: «...se comprende la gran importancia que hubo de tener en los primeros tiempos el mestizaje, favorecido por un cúmulo de circunstancias de carácter espiritual y material. La mayor parte de los conquistadores eran varones jóvenes (o casados con sus mujeres en España); su temperamento volcánico de pueblos meridionales, su falta de prejuicios raciales a consecuencia de la convivencia y fusión secular en España de musulmanes, judíos y cristianos, sus excelsas creencias cristianas (la igualdad del género humano ante Dios), todo favorecía la fusión de sangre, aun sin tener en cuenta las libres costumbres sexuales de los indios, las violencias de la conquista, los regalos de doncellas ofrecidas a los conquistadores, el deslumbramiento femenino ante seres tan ex-

traordinarios, y otras causas secundarias...»[4]
(¿La historia como novela? Porque Manuela, la
protagonista india de *Plata y bronce*, de Fernando Chaves, sucumbe a la admiración por «el
blanco hermoso y subyugador», cuyo «perfil
aquilino y tostado [...] recogía una belleza mar-
cial y briosa de rey, de señor [...], joven aristó-
crata, noble y leal [...] de abolengo y bizarría.»
No solo ella: «Del montón confuso y abigarrado
de los indios subía una plegaria de agradeci-
miento al patrón, un laude [?] inextricable a su
generosidad.») Por si no fuera suficiente como
explicación de las causas y razones del mestizaje, hay también, en aquella página —diría, más
bien, en aquella concepción de la historia de
América que muchos españoles lúcidos han condenado y rectificado, condenando al mismo
tiempo cierta interpretación fascista de la «His-
panidad»—, algunos renglones sobre sus consecuencias más o menos inmediatas: «Muchas de
estas uniones desembocaron en matrimonios legales y, cuando esto no era posible, los hijos fueron reconocidos y las madres amparadas como
criadas, dotadas y bautizadas. De todas formas
el mestizo, en general, siempre fue considerado
socialmente como inferior y a medida que avanzó el tiempo quedó relegado a una posición su-
bordinada. Algunos, al unirse matrimonialmen-

4 S. Sobrequés: *Historia de la España Moderna y Contemporánea*, Barcelona, Editorial Vicens-Vives, 1974, p. 208.

te con blancos, fueron reabsorbidos y gozaron
ya de la consideración de los blancos; esto sucedió particularmente en individuos de la nobleza
(por ejemplo, el Inca Garcilaso).»[5]

5 Ibid.

EL SIMBOLO COMO SUPLANTACION
DE LA REALIDAD

El símbolo no existe por sí mismo sino en función del significado añadido a las cosas, y por ello resulta convencional: la cruz no es solo una figura formada por dos líneas que se atraviesan o cortan perpendicularmente, sino también y, quizás, ante todo, en recuerdo de Cristo crucificado, insignia y señal de quienes profesan su religión. Una hoz y un martillo cruzados dejaron de ser únicamente un instrumento cortante y una herramienta que sirve para golpear, convirtiéndose, como representación de la alianza obrero-campesina, en distintivo de un movimiento filosófico y político internacional. La reproducción gráfica de la Tour Eiffel o de Notre-Dame, de Times Square (durante mucho tiempo fue el Empire State Building), la Fontana di Trevi o la Torre Inclinada de Pisa, el palacio de Westminster y el Big Ben, ya no es la representación de esas construcciones sino de las ciudades que las albergan y hasta del país en que se encuentran, y eso lo saben bien las agencias de viaje. Y viene a cuento porque señalé, brevemente, que nuestro patriotismo se manifestaba, de preferencia, en la celebración de ceremonias anuales, al amparo de los símbolos sagrados, declarados «intangibles» por la ley. La condición esencial del símbolo es su apropiación colectiva: el escudo de armas, la bandera o el himno de un país, «símbolos que —como se sabe— cuanto más precaria es la independencia [yo agregaría "o la identidad"] de un país, más se sacralizan y se preservan de posibles ofensas»[1], no son tales sino tras haber sido adoptados como oficiales por decreto de la autoridad competente y por su aceptación popular. De ahí que resulta evidente que no pueden ser sustituidos por decisión de una sola persona ni de un grupo cualquiera de personas. Pero nada se opone a que, por alguna razón o en determinada circunstancia, sean cambiados: por lo demás, eso ha sucedido en diversos momentos y países.

En cuanto a los nuestros... El escudo de armas solo figura en mitad de la bandera de las dependencias oficiales y en la que se emplea en determinados actos ceremoniales, y en algunas medallas o condecoraciones. (No siempre aparece en las banderas humildes de papel o tela que ocasionalmente ondean en los balcones de las casas o que se agitan en estadios y calles.) De una simbología fácil —un óvalo rodeado por dos

---

1 Horacio Salas, *Borges, una biografía*, Buenos Aires, Editorial Planeta Argentina, 1994, p.169.

banderas recogidas a lado y lado con ramas de laurel entre ellas, en lo alto los signos del zodiaco, debajo un nevado y un río surcado por un barco, y arriba el cóndor tutelar—, ¿debe entenderse como símbolo de qué —de unidad, tal vez—, en la parte inferior, la fasces en un haz de varas que fue insignia del cónsul romano y que llegó a ser símbolo del fascismo italiano?

Por lo que hace a la bandera, heredada de la Gran Colombia, es muy similar a la de nuestros vecinos del norte, diferenciándose por el escudo, en un caso, y por el ancho de sus franjas y un arco de estrellas, en el otro. (Similar, también, a la de la marina rusa durante el reinado de Catalina la Grande.) Símbolo esencial en todos los países del mundo —se venera la propia, se quema o destruye la del enemigo, como en un acto de magia negra—, la utilizamos sin necesidad de pensar en ella. (Galo Yépez cuenta que cuando desfallecía, a la mitad de su travesía de la Mancha, vio a lo lejos la bandera del Ecuador en un buque y cobró nuevo impulso.) ¿Recuerda alguien el significado de sus colores, lo aprenden aún los niños en la escuela? (A mí me enseñaron, en la mía, a partir de un poema de Numa Pompilio Llona, que simbolizaba «una Ilíada de titanes», cualquier cosa que ello signifique: «Roja, como el fulgor de sus volcanes; /áurea, cual de su sol los resplandores;/ azul como su cielo y cual sus almas».)

Pero más importante, porque de los tres símbolos es el único que ha desatado, desde hace mucho, una polémica, es el Himno Nacional. (Sabido es que suele afirmarse, y hay quienes lo repiten, con asombroso descaro, aún hoy día, que es «el más hermoso después de La Marsellesa», lo que, como escribí anteriormente en un libro, se lo dicen, del suyo, a todos los niños del mundo excepto a los de Francia.) No he encontrado, porque tiene que haberlo, el decreto, ley, resolución o acuerdo en que se fijan las ocasiones en que debe tocarse o cantarse, pero, en la práctica, son excesivas: cuando se celebra en una plaza o con un desfile una fiesta patria, nacional o local —y son numerosas—, cuando se instala una sesión solemne de algo, cuando el presidente de la República llega a algún local oficial o se ausenta de él —lo que, sumado al comienzo de la sesión, supone tres ejecuciones sucesivas, aunque incompletas, en poco más de una hora—, cuando un ministro asiste a un acto público, cuando comienzan y terminan las emisiones de radio y de televisión, en las corridas de toros y, en ciertas fechas, incluso las funciones de cine. (He leído, en algún diario, la carta de una lectora que protesta porque, «a veces» los canales de televisión comienzan su programación en la mañana sin el himno.) Esa repetición, lejos de exaltar el espíritu patriótico, que debe ser su objetivo, le hace perder solemnidad. Por el contrario, al ver el inicio de los partidos del Mundial de Fútbol, he pensado en la importancia que cobran la bandera y el himno cuando los jugadores, conscientes de que ellos aseguran, en ese momento, la presencia de su patria en el mundo, lo cantan pensando en lo que significa, como realidad concreta, ese concepto abstracto, y quizá en las ocasiones memorables en que el pueblo lo entonó. Pero no sucede lo mismo cada vez que debemos oírlo, cuando ni siquiera pensamos en la historia, pobre o grandiosa, del país, y hay quienes ya ni siquiera ocultan, si no cierto fastidio, por lo menos la pereza de ponerse de pie para entonar, por fuerza, una canción difícil de interpretar. En múltiples ocasiones y pese al número de asistentes —y no debe ser únicamente una cuestión de acústica del local— no se lo escucharía si no hubiera el respaldo de una grabación y hasta se diría que muchos solo mueven los labios para dar con ellos forma a las palabras que no pronuncian.

Está, en primer lugar, su duración. El maestro Segundo Luis Moreno señalaba que la extensión del Himno Nacional de Antonio Neumane pudo ser la tercera parte: «mientras los himnos de Gran Bretaña, que consta de catorce compases en tres tiempos, el de Alemania Occidental (de dieciséis), el de Estados Unidos de Norteamérica (de veinticuatro, en tres tiempos), el Himno Nacional del Ecuador contiene ¡noventa

y tres compases!, a cuatro tiempos, con sus repeticiones.»

Está también la dificultad de cantarlo no
siendo un país de tenores: investigadores de música y musicólogos han encontrado pasajes de la
ópera *Los puritanos*, de Bellini, «literalmente to-
mados» o «análogos». De ahí que, pese a la buena voluntad y al esfuerzo de quienes lo cantan,
pocos llegan a la nota exigida en el compás 14,
después del cual el coro se deshilacha. (El maestro español Carlos González Arijita presentó, en
1968, un arreglo coral que lo volvía más humano, pero el presidente Otto Arosemena Gómez
dictaminó que el Himno Nacional es intangible
y el maestro innovador fue llevado a la cárcel.)
En 1991, el maestro Alvaro Manzano estrenó un
arreglo sinfónico-coral cuya importancia radica
en que cambia la tonalidad en sol mayor, en que
fue concebida la música, y la de fa mayor en que
habitualmente se canta, por la de mi mayor que
—según el compositor e investigador musical
Mario Godoy— «se adapta mejor al registro de la
voz humana», con gran alivio para todos cuantos
no somos cantantes de ópera. Y, dado que se su-
primen las repeticiones, si se lo hubiera adoptado se habría reducido la duración total del himno a dos minutos y medio (tengo entendido que
el del Japón dura apenas doce segundos). El
músico cuencano Luis Pauta Rodríguez mantu-
vo, desde 1902, con «argumentos válidos» según

el padre Aurelio Espinosa Pólit, una campaña tenaz, a lo largo de 36 años, contra la obra de Neumane (compuesta en una sola noche) «propia para un romance nocturno y nunca para una poesía de versos pindáricos». Segundo Luis Moreno —quien sabía de música mucho más que el presidente Arosemena Gómez— propuso a la Asamblea Constituyente de 1928 «que la composición del señor Neumane fuera retirada, dándole el título de *Marcha triunfal del Ecuador*» y que, para sustituirla como himno, «se convocara a un concurso nacional».

El Decreto Legislativo del 29 de septiembre de 1948 declaró que el Himno Nacional Ecuatoriano es el «compuesto por don Juan León Mera y puesto en música por don Antonio Neumane en 1865...» Y, aunque ni el Congreso, ni el Ejecutivo ni organización oficial ni funcionario alguno tiene autoridad para decidir sobre la belleza de un texto musical o literario, agregaba que «habiéndose introducido con el decurso del tiempo ciertas alteraciones que desvirtúan su sentido y empaña su belleza» dispone que «el texto del Himno Nacional oficializado por este Decreto es el que ha sido establecido por la Comisión del Ministerio de Educación Pública, y se declara intangible».

Sin embargo... Según la *Reseña histórica del Himno Nacional ecuatoriano*, del P. Aurelio Espinosa Pólit, S. I., la comisión del Ministerio de Educación —encargada de «cotejar las diversas versiones existentes, a fin de presentar la que pueda ser considerada como la más fiel y de mayor pureza literaria a las escuelas y colegios de la República para su aprendizaje obligatorio»— la integraron él y don Juan León Mera Iturralde, hijo del autor de la letra. En la parte final de su informe al ministro, los dos comisionados señalan: «En diversas ocasiones ha surgido la idea de modificar el texto del himno nacional, particularmente con la intención de eliminar las expresiones ofensivas para la Madre Patria. Sin voluntad ninguna de reanudar las acaloradas discusiones que tal intento suscitara, nos permitimos opinar que la dignidad del himno de la Patria no sufre, por ningún motivo, modificación alguna, y que, para el laudable fin expresado, bastaría que oficialmente se confirmase la práctica, ya mucho tiempo vigente, de cantar después del Coro la segunda estrofa en vez de la primera». El folleto del padre Espinosa Pólit «se acabó de imprimir en los Talleres Gráficos Nacionales el 27 de agosto de 1948», según reza el colofón. De ahí que, de conformidad con lo dispuesto por el Decreto Legislativo, en el Registro Oficial nº 68, del 23 de noviembre de 1948, se publican, como anexo, la letra íntegra del Himno, y, como indicación expresa de la manera obligatoria de cantarlo, el «Coro» —"¡Salve, oh Patria, mil veces! ¡Oh Patria!..."— y, luego, «Estrofa» —"Los primeros los hijos del suelo..."—, más la indicación ("Termina cantándose el Coro").»

Así se originó la supresión de la primera estrofa que los jóvenes de hoy desconocen («Indignados tus hijos del yugo/que te impuso la Ibérica audacia,/ de la injusta y horrenda desgracia/ que pesaba fatal sobre ti,/ santa voz a los cielos alzaron,/ voz de noble y sin par juramento,/ de vengarte del monstruo sangriento,/ de romper ese yugo servil.»), y nos quedamos sin saber por qué derramaron su sangre esos héroes que «atónito el mundo[2]/ vio en su torno a millares surgir», contra quién combatieron, por qué causa, cuál fue su hazaña[3]. Y cuando lo sabemos, ¿qué valor tiene ahora? El heroísmo de que somos capaces o que, asiduamente, exigimos de los demás, ¿a qué enemigos hace frente y derrota? ¿Ha sido la emancipación, respecto de España, ejemplo para luchar contra otras formas de dominación?

---

2 Dado que el acento tónico no coincide con el musical, y sin entender la palabra atónito, los soldados y los muchachos cantábamos: «que a todito el mundo...»

3 Rodrigo Villacís Molina, al comentar el libro *Juan León Mera y la Conquista*, de Reinaldo Miño (*HOY*, 8 de enero de 1995), dice: «En este punto, Miño sostiene que el anticolonialismo contenido en nuestra canción patria ha provocado repetidos intentos de cambiar su letra, y, de hecho, la eliminación, "bajo la mesa", de la primera estrofa. Incursiona en la historia de este símbolo patrio, y niega que la función legislativa autorizara, como se dice, esa mutilación. Todo lo contrario, afirma, el Congreso del 48 declaró "intangible" al Himno, a pesar de lo cual, ya no se cantan los versos que comienzan: "Indignados tus hijos del yugo/ que te impuso la ibérica audacia...." ¿Cómo se los escamoteó? Miño cree tener la respuesta». Pero no nos la ha dado aún.

El carácter sagrado de un símbolo patrio lo da y lo respeta un pueblo sin necesidad de que lo imponga una autoridad. A nadie se le ha ocurrido jamás cambiar una sola nota de *La Marsellesa* en cuanto himno (se la ha utilizado, con variantes, en obras de música sinfónica heroica) y no porque las autoridades francesas lo prohibieran, sino porque todos pueden cantarla; tampoco se ha sugerido cambiar una sola palabra de la Canción Nacional de Chile, porque sus dos primeras estrofas describen una realidad física —el cielo azulado, las brisas que lo cruzan, su campo «de flores bordado», la majestuosa blanca montaña, el mar que lo baña...— y la tercera, una vocación nacional —«o la tumba serás de los libres/ o el asilo contra la opresión»—, aunque algún dictador haya invertido, temporalmente, no los versos, sino el destino de ese país. Por razones antípodas es curioso el caso de España: su himno consiste en una melodía alemana, obsequiada posiblemente por Federico II el Grande, Rey de Prusia, a Carlos III, que se ejecutaba preferentemente con pífanos; jamás tuvo letra hasta que Franco, en 1943, le encomendó una a José María Pemán, que tenía una primera estrofa alusiva al resurgimiento de la España imperial y una segunda de innegable corte falangista: «Triunfa, España, los yugos y las flechas cantan al compás...», razón por la cual no se canta. Un periodista español señala: «...nos topamos con

una letra [...] grandiosa y mayestática, un "arriba España" golpista y cizañero que es de donde
viene la vergüenza que sentimos. Y como es una
vergüenza le hemos quitado la letra y hemos dejado la música como si así reparáramos el delito. Es como el chiste de la mujer de cuerpo es-
pléndido y cara horrorosa: con un cartucho se
resuelve el dilema.»[4] (Pero ¿cómo se resuelve
cuando tiene, a la vez, el cuerpo y la cara horro-
rosos?) En los primeros meses de su gobierno,
del presidente Aznar trató, sin éxito, de imponer
la obligatoriedad de la letra y decidió que «solo
los militares» debían ponerse de pie cuando se
ejecutara el himno, pues hasta entonces todos lo
escuchaban sentados.

A diferencia de lo sucedido con la letra y la
música de esos himnos, abundan las propuestas
para corregir las del nuestro. Y tampoco se sabe
por qué el himno ecuatoriano sería más intangible que otros: Suiza sustituyó, hace apenas unos
diez años, el suyo, cuya música era la de *God sa-
ve the Queen*, por la de una canción tradicional;
los países de Europa Oriental cambiaron su himno cuando comenzaron su ensayo socialista y
cuando lo abandonaron; los de África, uno a
uno, cuando se independizaron, porque no res-
pondían a su nueva realidad. (Lo mismo ha sucedido con sus banderas y nosotros hemos teni-

4 Francisco J. Chavanel: «El himno», *Las Palmas*, Canarias, domingo 12 de octubre de 1997.

do ocho diferentes.) Por igual razón propugnaba el maestro Segundo Luis Moreno «una nueva letra que cantara la paz, el trabajo, el progreso, la unión, la justicia y la libertad», puesto que si todo ello no constituye todavía nuestra realidad, tal es, por lo menos, nuestra aspiración. Porque la patria es mucho más que un himno antiguo (con «monstruos» y «fierezas», decía Moreno) y ser patriota, creo yo, mucho más que cantarlo.

Por ejemplo, saber que en los grandes momentos en que la multitud vuelve a afirmar su patria suya, a ratificar su pertenencia a ella, las individualidades desaparecen como en el grupo que se guarece bajo un alero: el himno colectivo, puesto que es de todos, a todos abriga porque anula la diferenciación entre quienes lo cantan. Pero para la conmemoración del cincuentenario del Banco Central del Ecuador, su departamento cultural hizo venir a un grupo de indígenas para que cantaran, en público, el Himno Nacional en quichua. (Ningún hotel quiso recibirlos, pese a ser el Banco quien gestionaba y pagaba su alojamiento. Al final, uno, de mala muerte, los acogió, cobrando una tarifa desmedida.) Era la primera vez que se oían, por lo menos en Quito, las notas de la canción nacional ceñidas a vocablos indígenas. Un comentarista político de Guayaquil dijo en la televisión que aquello era una aberración imperdonable, «como cambiar el cóndor del escudo nacional por

un loro». No quedó muy clara la imagen ornito-
lógica, salvo que el cóndor está en nuestra mente asociado a los indios de las alturas andinas,
mientras que el símil del loro podía aplicarse a
otro tipo de personas. Ignoraba el periodista, como todos nosotros antes de escucharlos, que en
quichua, para los indios, «patria» quiere decir
«nuestra tierra». Y esta tierra fue, ante todo,
suya.

EL FANTASMA DE LA POLITICA

No creo que el ecuatoriano sea un pueblo politizado. El populismo, que obtiene victorias entre los campesinos, los pobres de la ciudad y el lumpen es síntoma de una falta de madurez política sin remedio: no tiene ideario y su pretendido programa varía según la provincia, la parroquia o el día del recibimiento al dirigente. El caudillismo se le asemeja en la práctica del clientelismo que hacen posible los pobres siempre a la espera de algo y los «vivos» siempre a caza de todo y combina la utilización personal de la ignorancia o la inocencia política ajena con los atributos, la oratoria, por ejemplo, o la «viveza» del líder. «No le dejaron gobernar», «El, por lo menos, no roba», «Cada vez que vuelve, el pobre tiene que mandar a hacerse ropa», han sido frases frecuentes para explicar el retorno de Velasco Ibarra cuatro veces a la presidencia de la República —y su regreso a la República, pues no volvía a vivir en el Ecuador sino en el gobierno— y explican su influencia, de una manera u otra, durante cerca de medio siglo en la política ecuatoriana: incluso después de su muerte hay quienes encuentran, en cierta forma de conducir el país, la continuidad de su «mal ejemplo». Velasco decía de sí mismo que era un «liberal del siglo XVII»: liberal, no sé de qué siglo, fue también Arroyo del Río, a quien sustituyó por decisión popular, y cuyo gobierno despótico constituyó la entronización de lo opuesto al liberalismo. (Alguien tuvo la idea de una emisión de sellos de correo con ocasión del centenario de su nacimiento. El rápido humor popular dijo, al día siguiente de su puesta en circulación, que no se pegaban al sobre pues la gente, en lugar de humedecer con saliva el reverso, escupía sobre el retrato.) Velasco reemplazó una filosofía política con una filosofía del poder: la concepción de Ecuador como un país ingobernable y la demagogia del populismo —también de la dictadura— que se justifica a sí mismo con la realización de obras materiales, aun cuando a veces se limitara a las antaño célebres colocaciones de la «primera piedra». Quienes trataban de defender el gobierno de León Febres Cordero, acusado de violación de los Derechos Humanos —sobre todo por la desaparición, tortura y muerte de los hermanos Restrepo—, decían que «el hombre ha hecho obra», aun cuando solo hubiera sido por la proliferación de letreros —«Otra obra de León»— que hizo colocar por doquier durante su administración. Parece obvio que a un pueblo harto de advenedizos y de profesionales de la política —puesto que unos y otros han seguido (hay excepciones) la tradición de considerar al país como su propiedad y al gobierno como una administración de sus bienes personales— no le interesen la ideología, las ideas, los principios, los métodos, los objetivos, sino las realizaciones: de la suposición ilusoria «El es rico, no ha de robar», con que se trataba de justificar una votación para presidente de la República, se ha pasado a la resignación, y «Que robe, pero que haga» se fue convirtiendo en la esperanza de quienes, desesperanzados, consideran que la corrupción es inherente a la política y, hasta hoy, invencible: la ven continuar pese a la multiplicación de organismos —el movimiento «Manos Limpias», la Comisión Anticorrupción, ahora constitucionalmente constituida, la Comisión de Fiscalización y las comisiones *ad hoc* del Congreso para investigar cada caso denunciado por la prensa—, o de medidas tales como la militarización de las aduanas que solo sirvió para demostrar que no por el hecho de vivir en un cuartel alguien se vuelve incorruptible. (Me molestó, cierta ocasión, escuchar a un periodista colombiano algunas expresiones sobre la corrupción en Ecuador. Le dije que Colombia no era, propiamente, un ejemplo de transparencia. «No, me contestó, pero allá no existe la impunidad». Era cuando de 103 funcionarios o dignatarios con orden de prisión preventiva por delitos de corrupción, solo tres estaban presos, y uno de ellos porque se entregó voluntariamente, mientras los restantes se hallaban en Miami y Panamá.) Es verdad que nos aqueja —por algo será— una presunción constante de turbiedad y culpa, que reemplaza al principio legal de la presunción de inocencia: en cuanto nos enteramos de la celebración de un contrato, de la adjudicación de una licitación, de la instalación de una empresa, de la liberación de un detenido, inevitablemente pensamos en «cuánto le habrán dado», hablando del funcionario sobre quien recayó la responsabilidad de llevar a cabo la diligencia. Por algo será: aunque generalmente se supone que, hasta hace veinte años, Ecuador no era un país corrupto, sino que en él los casos de deshonestidad o corrupción eran excepción, según el Indice de Percepciones de la Corrupción (IPC) 1998, publicado en septiembre de ese año, entre los diez países más corruptos del mundo, el nuestro ocupa el noveno lugar, precedido por Camerún, Paraguay, Honduras, Tanzania, Nigeria, Indonesia, Colombia y Venezuela y seguido solo por Rusia. Y entre los 85 países que conforman la lista de transparencia —encabezada por Dinamarca, Finlandia y Suecia— Ecuador se halla en el 77º lugar, seguido por Venezuela, Colombia, Indonesia, Nigeria, Tanzania, Honduras, Paraguay y Camerún. Según nuestra habitual manera de querer valer por comparación con los peores, ojalá no tratemos de estar satisfechos por no encontrarnos en el último lugar. (En marzo de 1999 el Comité Olímpico Internacional [COI] expulsó al ecuatoriano Agustín Arroyo, por el escándalo que rodeó a la elección de Salt Lake City como sede de los juegos de invierno del 2002. Aunque «el nombre de Ecuador fue borrado de la lista de miembros que tiene la institución de comités olímpicos nacionales afiliados», los dirigentes del COE señalan que «no está de por medio el nombre del país» puesto que el sancionado por corrupción «era miembro del COI para Ecuador y no viceversa». Lo que vendría a demostrar, una vez más, que los corruptos no tienen patria.)

Aunque a menudo es justificado identificar la corrupción con la gestión de ciertos políticos —y algunos de ellos seguirán siendo el paradigma en esta materia—, «la corrupción empieza desde tempranas horas cuando la copia de exámenes es tolerada en escuelas y colegios y acaso inculcada por los propios padres que a su turno realizaron la misma trampa. Se refleja en tareas cotidianas como "la libra de 12 onzas" o "el galón de 3 litros"; encuentra mayor vigencia en las coimas y extorsiones para despachar asuntos que de lo contrario duermen el desesperante trámite burocrático; se expresa con mayor intensidad en la evasión tributaria y en la compra de conciencias y favores y culmina en los grandes atracos de los negociados con el Estado, el usufructo de las aduanas, la obra pública obtenida con base en participaciones y la celebración del primer millón del aventajado adolescente [...]»[1] «Se trata de sobreprecios, de comprobantes sin firmas de control, de facturas pagadas a sabiendas de que no reunían los requisitos, de dinero usado para pagar una reunión social haciendo que constara como usado para adquirir materiales que nunca se compraron.»[2]

Ello explicaría, en medio del descontento habitual, innato, congénito de nuestro pueblo frente a la gestión oficial, la popularidad de que han gozado, por su vocación de servicio y entrega a la ciudad, Jamil Mahuad como alcalde de Quito, con su concepción y realización de empresas de gran envergadura, y la de León Febres Cordero como alcalde de Guayaquil, tras su discutible presidencia. Pero el justo principio bíblico de «Por sus obras los conoceréis» no se refiere precisamente a las Obras Públicas.

(Ello explicaría también, dentro del espíritu democrático de nuestro pueblo, una actitud pasiva frente a las dictaduras militares —que solo aquí, y probablemente por esa misma razón, han sido, por lo general, «dictablandas»—, por la

---

1 Francisco Rosales Ramos: «Anticorrupción», HOY, 30 de noviembre de 1998. «Aventajado adolescente» alude, evidentemente, al hijo de Abdalá Bucaram.
2 Nila Velázquez Coello: «Quiebra moral», HOY, 11 de mayo de 1999.

cual se diría que le interesan, más que el orígen del poder, las realizaciones desde el poder. Es posible, también, que ponga la esperanza en el régimen que las caracteriza, considerando que es el único que puede introducir, y pronto, cambios en todos los órdenes de la vida nacional y que en él la corrupción es menor o no existe. O que guarde el recuerdo del gobierno del general Alberto Enríquez Gallo, como uno de los mejores, si no el mejor, después del general Alfaro: con dictadura y todo, se dice, en diez meses se pudo elaborar una Constitución, la de 1938, que recogía las inquietudes sociales —¿tímidamente socialistas?— de los años 20, promulgar el Código del Trabajo, crear el Instituto Ecuatoriano de Seguridad Social... Pese a ello, si en Ecuador comenzaron a ensayarse las dictaduras como «nuevo modelo» de gobierno para América del Sur, en Ecuador es donde primero fueron derrocadas.)

La desafiliación de un partido para apostar al ganador, el «cambio de camiseta» para la obtención de votos o de cargos, el soborno y el cohecho, son otras tantas muestras de la débil politización de nuestra clase política. El inexplicable retorno del dictador por elección popular en otros países, se manifiesta entre nosotros por una supuesta mala memoria: las trapacerías, la corrupción, la ignorancia y hasta la estupidez de Bucaram y los suyos en la alcaldía de Guayaquil las teníamos presentes, no las habíamos olvidado; pero esos personajes fueron llevados al gobierno nacional, con lo cual semejantes rasgos crecieron de modo proporcional a la importancia de su cargo. Bastaría ese solo hecho para recordar que, pese a su disfraz y sus aspiraciones de Batman, no vino de otro planeta, no fue un extraterrestre ni una figura insólita sino obra y hechura de la política ecuatoriana, tal como la entiende la multitud, en este caso desesperada. ¿No se propagó por el país, frente a su candidatura, la actitud resumida en la fórmula: «Si vamos a jodernos, jodámonos del todo», para ver si del hundimiento total podíamos emerger a la superficie?[3] Similar fue el mal cálculo de ciertos electores con buenas intenciones que eligieron a Camilo Ponce Enríquez pensando que con él «las contradicciones» se agudizarían, haciendo posible una transformación revolucionaria del país, que no se dio ni siquiera tras la matanza del 2 y 3 de junio de 1959 en Guayaquil. También esos electores y visionarios, partidarios de una terapéutica de shock o simplemente esperanzados, creen y dicen rechazar la política, la

3 Dando muestras de un sentido del humor muy discutible y, en todo caso, de un inmenso desconocimiento de nuestra realidad, un periodista colombiano ha declarado: «Ustedes [los ecuatorianos] tuvieron un gesto de humor tremendo eligiendo a Bucaram, y después se arrepintieron; creo que se les fue la mano en el humor.» (Plinio Apuleyo Mendoza: «El arte perdura más que la política», entrevista con Lola Márquez, HOY, 5 de octubre de 1997.)

condenan como algo sórdido, que huele mal, que hace daño.

Sin embargo, somos un pueblo apasionado por la política, por lo menos en las ciudades mayores donde, pese a los anhelos justos y a las protestas de los demás, se decide o se deshace, día a día, el porvenir del país: muy difícil es, en Quito, por ejemplo, o en Cuenca, quizás menos en Guayaquil, llegar a una casa o a una reunión de café —y hasta en el breve encuentro, tras el apretón de manos en la calle— donde no se discuta o debata la actualidad política. He hablado ya, en páginas atrás, de esa sensación de orgullo que parece advertirse el día de elecciones, como el ejercicio de un derecho y quienes, de un modo u otro, orientan la opinión, subrayan cada vez que es un derecho sagrado—, más que el cumplimiento de un deber. Se me ocurre también —incluso cuando se celebran con tal frecuencia que fastidian al empresario y fatigan al elector—, que son una compensación ocasional de ese enfermizo sentimiento habitual de que no existimos oficialmente, de que nadie nos ve desde los balcones o ventanas de palacio, de que nadie nos toma en cuenta cuando estamos frente a un mostrador o el escritorio de un funcionario, menos aún cuando se elaboran o adoptan las decisiones políticas, como si fuéramos transparentes. (Tú, también, como cuando, ante un vaso de cerveza o una taza de café, miras pasar a la gente, y pese a la calidad de bueno que tiene el pueblo a que perteneces, no te preocupa saber quién es mensajero o mecánico, quién bibliotecaria o niñera, cómo es la vida del pescador ni el destino del minero, cómo sobreviven las poblaciones fronterizas, ves pasar los días del país, indiferente a lo que le sucede, alzándote de hombros ante la desgracia ajena, la pobreza de los otros, de esa mayoría absoluta que no tiene ingresos para sobrevivir —te basta con la tuya, la de los tuyos, propia—, la corrupción a la que crees que solo tú escapas, la incapacidad, la indecisión, la complicidad colectiva a la que, tal vez, tú tampoco escapas puesto que todo lo toleras. Claro que estás harto porque no funciona el teléfono, no hay agua, han vuelto los cortes de luz, se han robado el rótulo de tu calle y la reja de la alcantarilla de la esquina, te cobran indebidamente en las dependencias oficiales, se cierran hospitales y se abren nuevos supermercados, la delincuencia apunta cada vez más cerca y cada vez más frecuentemente, la contaminación del aire te asfixia y enferma, y nadie hace nada, y tú nada haces, quizás porque nada puedes, y todo lo aguantas, y nadie te consulta, como si fueras extraño a «este país». Una extranjera, personaje de una novela mía, es capaz de advertir «lo que aquí es visible, notorio, escandaloso, lo que a ustedes mismos les daría vergüenza si no consideraran patriotismo defenderlo o ca-

llarlo frente a un extranjero [...], el subdesarrollo mental, la falta de respeto por el otro, la ignorancia audaz, la pereza, la podredumbre de la
corrupción, exhibida más que denunciada diariamente, ignominiosa [...] y cuando hablan de
eso terminan diciendo: "Así somos, ésa es nuestra manera de ser, nuestra idiosincrasia". Tal
vez porque he llegado a amar a este país me resulta insoportable la miseria en la calle, ver la
mendicidad que a veces es hasta agresiva, ho-
jear el periódico de cada día, oír esas radios que
parecen la primera que se instaló hace cien años
en una aldea, y no hacer nada, no saber qué hacer, no poder hacer...» Tú también, porque
crees que para hacer algo es inútil protestar, ca-
rajear al culpable, que nada puedes si no eres
funcionario recto, honrado dirigente de algo,
observador y crítico desde una prensa digna, ésa
a la que tanto temen y pretenden amedrentar
dignatarios y funcionarios. Y con un gesto de resignación, más bien de comodidad —puesto que
no eres de quienes imaginan que con su huelga,
su paro, su desfile van a cambiar las cosas o el
mundo, sino porque así es más fácil, dices también, y con ello te eximes del porvenir y supri-
mes tu propio futuro: «Qué le vamos a hacer. Así
mismo es. Así hemos sido siempre.» De modo
que lo tienes merecido. (Porque, como opinaba
El Comercio de Quito: «...aquí el problema no
es el desgobierno: es la resignación. La clase po-

lítica es una causa, pero también es un resultado. Es terrible decirlo: el país tiene la clase política que se merece.») Esta, así, es tu realidad
culpable porque la aceptas sin rebelarte o rebe-
lándote, como quien dice, por la muerte de un
judío; ésta, así, es tu patria, dolida, porque la su-
fres, amante pobre, con la que te resientes, y
con la que vuelves a reconciliarte y a amarla,
aunque sea mal, a tu manera.

Dado que los ecuatorianos tenemos una
constante sensación de impotencia ante el engaño de la «clase política» —se trate de la «derecha
corrupta», curiosamente apoyada por una Costa
conservadora, habiendo sido tradicionalmente
rebelde, o de la «izquierda utópica», a la que la
Sierra sigue de preferencia, habiendo sido tradicionalmente sumisa—, el derecho a decidir acerca del país con nuestro voto puede ser un castigo a la tendencia de la que estamos hartos, una
revancha contra la suerte o una actitud de defensa. Y puesto que nos sentimos siempre burla-
dos, quizás quepa explicar así el hecho de que
también nosotros, cada vez que podemos, burlamos la ley. Intocable para los romanos, respeta-
da, por lo general, en el mundo entero, aquí es
lo primero que se viola, comenzando por los encargados de hacerla cumplir.

(Sucede que no todos los valores de una cultura son tradicionales, que no todo lo tradicional
merece ser defendido: por ejemplo, ya no que-

remos, por moralidad o por intuición, mantener ni tolerar en los demás los rasgos de nuestra «cultura» que nos avergüenzan: la adoración al dinero y el menosprecio del ser humano que conducen a la descomposición moral y a la corrupción: el juez, ministro, diputado o policía recibiendo cheques en ceremonias oficiales o por debajo de la mesa, menos honesto que la prostituta a quien se le coloca un billete en el escote; el racismo universal representado gráficamente por el blanco dando un puntapié al cholo pobre y el cholo enriquecido al indígena que no tiene a quién patear sino a su mujer y al perro; la protección policial que recibieron torturadores, criminales y prófugos de la justicia[4]; la exaltación de la violencia, como sinónimo de coraje, que arrastra a la juventud a reemplazar los puños

4 César Verduga, ministro de Gobierno de Fabián Alarcón, pidió que fueran puestos en situación transitoria, previa a la disponibilidad, los generales de policía Efraín Ramírez y Mario Acosta, por negligencia en la captura de los diputados cesados por el Congreso Nacional en febrero y marzo de 1997. El Tribunal Constitucional desechó el pedido y los reincorporó, en enero de 1998, a sus funciones. Los generales amenazaron con «seguir juicio» al ministro. A fines de ese mes fueron detenidos dos ex legisladores. A comienzos de marzo de 1999 fue detenido, en Quito, el ex presidente Alarcón, a fin de que responda a la acusación de haber contratado irresponsablemente a centenares de «pipones» cuando fue presidente del Congreso Nacional. Y el 30 de marzo de 1999, agentes de la INTERPOL detuvieron en Ciudad de México, a pedido de la policía ecuatoriana, a su ex ministro de Gobierno, acusado de malversación de los fondos reservados, y a fines de mayo la justicia mexicana lo puso en libertad rechazando el pedido de extradición interpuesto por la ecuatoriana.

por el puñal, el revólver o el automóvil, según lo
han visto hacer en el cine y la televisión; la indignación por los muchachos que fastidian y por
los viejos que estorban; la sospechosa conciencia de superioridad del varón respecto de la mujer, y que para afirmarla recurre a diversas formas de violencia... Y aunque eres parte de este
pueblo —generoso, pacífico, humilde, acogedor,
según los extranjeros—, te vuelves agresivo, hos-
co, amargado, insociable, y para tu defensa con-
vertirías en afirmación la pregunta que hacía un
personaje de Bertolt Brecht: «¿Y si fuera la sociedad la insociable?»)

Y, pese a nuestra larga experiencia, empeci-
nadamente creemos que todo puede resolverse
con una nueva ley, llevados más por la ilusión
que por la realidad. Según la diferenciación que
estableció Tocqueville deslumbrado por la democracia norteamericana, creemos más en el
«país legal» que en el «país real»: al fin y al cabo,
en el primero reside aún la utopía, mientras que
el segundo es concreto, tangible: lo conocemos
y lo sufrimos a diario. El país legal es la esperanza y la esperanza es, ante todo, la Constitución
que, por ser la ley suprema, a menudo enmen-
damos y cambiamos y, queremos cambiar de
nuevo —¿no seremos nosotros quienes tenemos
que cambiar?—, convencidos de que ella debe
no solo consagrar los derechos adquiridos
(¿cuáles, adquiridos cómo, y acaso con el mis-

mo ritmo con que introducimos los cambios?) sino, sobre todo, prever las situaciones por venir. También las otras leyes: de ahí la cantidad de textos legales supuestos, opuestos, superpuestos, inaplicables, que nacieron de la ilusión de mejorar las cosas. Pero tenemos impaciencia, prisa, urgencia, como tras una revolución u otro cambio súbito: queremos que los culpables de nuestra ruina sean detenidos hoy y nos indigna la policía aun cuando la lentitud no sea suya sino de la ley, que nos den las soluciones mañana, como si se tratara de los crucigramas en los diarios, y a nuestra manera, o sea sin ponernos de acuerdo: en lo único que coincidimos es en oponernos a algo. O a todo. *El hombre rebelde*, de Albert Camus, comienza con una afirmación obvia: rebelde es el hombre que dice no. Entre nosotros es rara la negación rotunda: parece descortesía. Y aunque no todos nos reconozcamos como «rebeldes» propiamente dichos, decir «no» nos devuelve la sensación de poder que experimentamos el día de elecciones —cuando, de una manera u otra, le decimos «no» a algo o a alguien— y que perdemos al día siguiente, porque no es de buen tono estar en favor del gobierno. De ningún gobierno.

Ser «gobiernista» —o sea, no decir «no»— es para todos, incluso para aquel que goza de un cargo oficial, acusación insultante en el ámbito político y constituye un estigma para cualquier candidatura así condenada a la derrota: una de las recetas para evadirla es haberse distinguido en sucesivas interpelaciones o juicios a ministros de Estado, a veces sin más razón que contar para ello con una mayoría de votos, estrategia en que destacó, a comienzos de su carrera política, Velasco Ibarra. Se trata, pues, de oponer mi voluntad a la de él, a la suya, a la de ellos, quienesquiera que fueren, y que, de golpe, ya no encarnan la «voluntad del pueblo» como creimos el día de la victoria sino la de otros. Es otra cosa: tal vez, si existe en abstracto, sería una voluntad oficial ajena. De ahí que, debido a nuestra experiencia —siempre dolorosa para alguien— del régimen presidencialista tratamos en todo caso de cercenar las atribuciones del presidente: ya, según el sistema actual y confiando en el Congreso como organismo de control, nos ocupamos de que no cuente con una mayoría parlamentaria, ya no puede influir en el sector económico, cualquier diputado, sin razón y sin pruebas, pretende pedir la revocación de su mandato. (Sin embargo, delegaciones de provincias o cantones, voceros de las cámaras de la industria o el comercio, dirigentes sindicales, no se conforman con un diálogo con el ministro a quien competen sus reclamos, sino que insisten en hablar con el presidente; en las fiestas locales la ciudad considera como una afrenta que el presidente no asista a ellas; hubo protestas cuan-

do el presidente se ausentó —por citas y entrevistas acordadas previamente con funcionarios
de organismos internacionales o mandatarios de
otros países— «precisamente el día del paro»
convocado por no sé qué organizaciones, y hasta hay reclamos si el presidente no aparece frecuentemente en la televisión. Más o menos como si se tratara de un rey o de un príncipe.) Pero como estamos hartos, asimismo, de la manipulación que de los intereses populares hace el
Congreso Nacional, desprestigiado hasta el límite más bajo por la convergencia de la mediocridad insufrible, el caciquismo agresivo y hasta la
estupidez gramatical, desde cuando el populismo se aseguró obediencia y mayoría haciendo
elegir como diputados a choferes de confianza,
matones del suburbio, guardaespaldas cretinoi-
des..., tampoco queremos darle poderes con los
cuales nos deslizaríamos hacia un régimen par-
lamentarista en el cual uno de esos individuos
podría llegar a jefe de gobierno. (Pese a ello, es
grave, casi irresponsable, la insinuación, ¿mitad
broma?, de un periodista serio en el sentido de
elegir democráticamente un dictador «por unos
veinte años», tiempo que les tomó a Franco y a
Pinochet «enrumbar» su país. Sin imaginar siquiera a dónde podría conducirnos la ausencia
de un organismo que legislara y fiscalizara la acción de las otras funciones del Estado, o porque
la bellaquería de los cálculos anticipados de una

supuesta victoria electoral dicta una oposición bruta —ciega, sorda y «muda» en la acepción popular ecuatoriana, como sinónimo de tonta— a todo cuanto pueda parecer «colaboración» con el gobierno, se sugirió hace poco, esa vez con innegable humor, colocar en la puerta del Congreso Nacional, un letrero que rezara igual al que algunos manifestantes airados de Salcedo pusieron en un burdel: «Cerrado por orden del pueblo».)

Parecería que propugnáramos, sin saberlo, cierto corporativismo a partir del poder que se atribuyen y de que hacen alarde algunos grupos: exigimos la descentralización, a fin de que los gobiernos seccionales dispongan de mayores rentas y atribuciones, pero «la clase del volante no tolerará que los municipios organicen el tráfico», y los educadores se oponen a ella porque «los municipios no tienen la infraestructura necesaria para asumir la educación»; una ley, que creemos impostergable, sobre la práctica de la medicina «es rechazada por el cuerpo médico y por los trabajadores de la salud» por no haber sido consultados; otra, relativa a la educación, suscita el rechazo de los maestros «por no ser conveniente para el futuro de la juventud»; el país pide a gritos un cambio en la administración de justicia en su instancia más elevada, pero los empleados judiciales «se oponen y se opondrán a la reforma de la Corte Suprema de

Justicia»... Y tanto choferes, cuanto médicos, maestros, empleados, distribuidores de gas doméstico y de gasolina, empleados de telecomunicaciones, de plantas de electrificación y de hospitales, que van al paro —lo hacen además los cantones y provincias—, condenan como «maniobra política» las decisiones que habían exigido, también a su manera, que se adoptaran para la expedición de esas leyes. Y en medio de todo ello ha aparecido, casi de modo súbito, ese ente vago que es la «sociedad civil»: de poder verla, se la supondría contraria a otra, militar o religiosa, pero parece oponerse a la «clase política», aunque sus miembros tienen ideas, ideales e ideologías. Y aunque asombra comprobar cuán elevado es el número de quienes, ignorando que todo acto humano, hasta el amor, está cargado de ideología, creen que ésta solo existe en el programa de un partido; muchos pertenecen a partidos políticos —¿cómo, si no, se habrían conformado los 17 que llegamos a tener, como si hubiera otras tantas ideologías políticas o clases sociales cuyos intereses representan?— y de su seno salen los profetas, los redentores, los samaritanos buenos y malos, los que lo saben todo y los que no saben nada, pero todos con ganas de hacer algo aunque muchos nada hagan.

Dedicamos horas enteras a enterarnos por la prensa, la televisión o la radio de todo lo refe-

rente a la política nacional (la extranjera, distante, no nos interesa mucho o la ignoramos en una
suerte de venganza, porque sabemos que, salvo
una «revolución» o una tragedia telúrica, como
un terremoto —a menos que haya un payaso en
el trono presidencial—, no interesamos afuera) y
otras tantas a comentar, criticar, maldecir, mandar al diablo la política. Sin embargo, ha venido
cobrando cuerpo una inexplicable actitud de supuesto rechazo de la política, considerándola,
pese a la exigencia y contentamiento por las
«obras», como sinónimo de ideología más que de
acción, como argumentación y no como acto.

Digo «supuesto» porque habíamos aprendido, y el diccionario nos recuerda, que política
es: «Arte, doctrina u opinión referente al gobierno de los Estados»; además: «Actividad de los
que rigen o aspiran a regir los *asuntos públicos*», y también: «Actividad del ciudadano cuando *interviene en los asuntos públicos con su
opinión, con su voto* o de cualquier otro modo»
(las cursivas, evidentemente, son mías). Pero el
ecuatoriano común, debido a la indignante mediocridad y a la inopia moral de ciertos políticos,
e instigado contra ellos en ocasiones por el propio gobierno, cree desentenderse de la política,
cuando en realidad la practica todos los días, sobre todo en el momento de manifestar su decepción, y porque no puede escapar a ella dado que
vive en sociedad, que se define como «estado de

los hombres o de los animales que viven sometidos a leyes comunes» (¿fue ya sociedad la convivencia de Robinson Crusoe con Viernes en la isla?), lo que hizo decir a Aristóteles que «el hombre es un animal político». Rápidos para el chiste y sutiles para percibir la realidad —hecha de incompetencia, corrupción, podredumbre, autoritarismo, torpeza, improvisación, canibalismo...—, parecería que invertimos los términos: aquí, para muchos, «el político es un animal parecido al hombre»[5].

Fue paradójico que el gobierno de Sixto Durán Ballén hubiera promovido una campaña (política) de desprestigio del Congreso (organismo político), de los partidos (políticos) que lo integran, de las Cortes de Justicia (ésta es política: los intentos por despolitizarla —más correcto parece decir «despartidizarla», aunque la horrible palabra no exista— se refieren a su origen, no a su carácter: las leyes son promulgadas y los magistrados, pese a la voluntad popular y a la palabrería política, han sido hasta ahora, nombrados por el Parlamento), con el fin de reformar la Constitución Política mediante una consulta popular (recurso político). Un ministro de Gobierno (de la Política) reprochó alguna vez —y otros varias veces— a los diputados haber actuado «con criterio político» al rechazar un pro-

---

5 Acababa de escribir estos párrafos cuando apareció un libro del caricaturista Gonzalo Mendoza «Avispa», cuyo título explica mejor esa definición: *Animales políticos animales.*

yecto de Ley enviado por el Ejecutivo al Congreso. Se pretende establecer así una falacia como axioma: todo cuanto hace el gobierno es en beneficio del pueblo; por tanto, quienes lo apoyan actúan movidos por razones «patrióticas», mientras que todo cuanto se le opone es una «maniobra política», es decir nociva para la comunidad, antipatriótica.

Y el pueblo ¿se lo cree? Un gobierno de empresarios elaboró e hizo aprobar una Ley de Desarrollo Agrario que afectaba a millones de indígenas en aquellos aspectos de su supervivencia que les son vitales: la tierra y el agua. Los amenazados realizaron una marcha a Quito, pidieron y obtuvieron que se declarara inconstitucional la Ley y lograron la aceptación de algunas enmiendas. Pero, antes de ello, la primera declaración oficial fue, ¡claro!, que los indios estaban «manipulados políticamente». ¿Manipulados? No: participaban en la política del país, con clara conciencia de hacerlo —para ellos el país es la tierra y lo demostraron en la defensa del territorio que hicieron en 1995—, sin necesidad de que nadie ejerciera sobre ellos «maniobra o manejo destinado a engañar», que eso es una manipulación.

Los maestros y empleados del Ministerio de Educación declaran con fastidiosa regularidad un paro (acto político) por reivindicaciones económicas (en oposición a la política salarial del gobierno), a veces por la reincorporación de sus compañeros destituidos (en aplicación de una política represiva del gobierno) y, en un caso más concreto, porque se archivara el proyecto de Ley de enseñanza religiosa (¿se llamaba «de Libertad Educativa» como para insinuar que el laicismo suponía una pérdida de la libertad de educación?). Se trata siempre de un paro «político» (y qué más puede ser, dado que no hay paros educativos) y, por tanto, para las autoridades, ilegal, y es siempre perjudicial para los estudiantes del país entero. Pero otra ley, la del embudo, se aplicó entonces: proponer y aprobar la de educación religiosa fue también «un acto político», mucho más ilegal que el paro por ser inconstitucional, puesto qué la Carta Política dispone que la educación en el Ecuador es laica, y más perjudicial, por discriminatoria, para los niños y, porque atenta contra la paz, para el país entero.

Al mismo tiempo, un organismo de turbia conformación y financiación, «haciéndose eco de la opinión popular», embistió mediante vídeos televisados, y a pedido de las más altas autoridades del Ejecutivo, contra el Congreso, las Cortes, los partidos y sus dirigentes, amparándose, nada menos, que en la libertad de expresión (derecho político) que consagra la Constitución, que es política, y fue aprobada *con su voto*. Y si hubiera debido recurrir a un tribunal se habría encontrado con que la ley es una decisión política y que la sentencia que dicta es un acto político, porque la administración de justicia es un *asunto público*.

Un ministro de Gobierno de Sixto Durán Ballén, que prohibió a los padres de los hermanos Restrepo, y a quienes los acompañaban cada miércoles, su acceso a la Plaza de la Independencia de Quito, los acusó de «actuar con móviles políticos»[6]. Tenía razón: exigir que se sancione a los culpables de un crimen político —sobre todo cuando es cometido por elementos de las fuerzas del orden (políticas, pese a cualquier declaración lírica, puesto que dependen, desde su formación y su paga hasta su intervención en favor o en contra de los civiles, sea del Ministerio de Gobierno y Policía, sea del Ministerio de Defensa)— y reclamar el respeto del más elemental de los derechos humanos, el derecho a la vida, es, en el mundo entero, la más noble e irrenunciable tarea política que se opone a la política de

6 La policía, en el gobierno de Fabián Alarcón, impidió, el 8 de enero de 1998, que se celebrara allí un acto artístico en recordación del décimo aniversario de su desaparición. Pero en abril del mismo año, el Fiscal General de la Nación reconoció que se trató de un crimen de Estado y acordó una indemnización a la familia. (El ex presidente León Febres Cordero, en cuyo gobierno se cometió el crimen, exclamó: «¡Carajo, ahora los hijos tienen precio!», asombrado, quizás, porque durante su mandato la vida ajena no valía nada.) El Fiscal hizo lo mismo respecto de la desaparición de Consuelo Benavides, ocurrida hacia la misma época. En junio de 1998, se acordó una indemnización a los 11 campesinos del Putumayo detenidos en diciembre de 1993 bajo la acusación militar de integrar un «comando campesino».

la violencia y el crimen de Estado. (El caso del general Augusto Pinochet, «buscado» por la justicia de España y de otros países, y puesto en manos de la Corte de los Lores de Inglaterra, es la mejor comprobación.) Y no cabe siquiera hablar de las manifestaciones voluntariamente políticas —contra el costo de la vida, contra el porcentaje del presupuesto nacional destinado al pago de la deuda externa, contra la supresión de los subsidios al gas doméstico y al consumo de energía eléctrica, contra el alza de los pasajes del transporte colectivo y ¡contra la política misma!— que suelen realizar los trabajadores, los indígenas, las mujeres, los estudiantes de colegios y universidades.

Los trabajadores de todas las empresas que han sido o van a ser entregadas a empresarios privados, llaman al paro o a la huelga, piden la solidaridad de sus compañeros, apelan a la opinión pública. Son, claro está, actos políticos contra cuestiones concretas y no principios: restricción del empleo y su magro salario, el desempleo y la miseria, el subempleo y las limitadas oportunidades de quienes lo padecen, el destrozo de los sistemas ecológicos con su flora y su fauna, el abandono de la agricultura y su secuela de mendicidad o algo que se le parece en las ciudades...

No hay, pues, movimiento alguno de reclamación, defensa o protesta que el Poder no hubiera calificado de «político», con razón, pero con la intención de desprestigiarlo. Para un Secretario General de la Administración el paro de una provincia entera no tenía «asidero válido» puesto que era un paro político. Con semejante razonamiento cabía preguntarse qué validez tenían él y su cargo y, de paso, el presidente y el suyo, si son eminentemente políticos. (Me parece útil recordar, a este respecto, la expresión «escupir al cielo»: ¿sobre quiénes va a caer el escupitajo contra lo político si quienes escupen son los responsables del *manejo de los asuntos públicos*?).

Pero el ciudadano común cae de buena fe en la trampa y acusa, él también, de todo a la política, creyéndose ajeno a ella, sin darse cuenta de que *interviene en los asuntos públicos con su opinión*. No repara en que la educación que escoge para sus hijos depende de una política educativa, ni que el arriendo que acepta pagar por su casa o departamento así como los precios de su canasta familiar son consecuencia de una política económica. Igual pasa con el precio de la gasolina y las tarifas de avión, autobús y taxi, y con el de todos los artículos importados, y la factura de las librerías, y la cuenta de los restaurantes, y el total de compras en los supermercados, y la habitación de un hotel o un hospital, y los intereses de los bancos, por no hablar de los impuestos.

(La repercusión final de la política en el costo de la vida, por esa «explosión en cadena» que tiene en los precios, me la enseñó, con mayor rapidez y claridad que mi profesor de economía política de la Universidad, un limpiabotas de la avenida Amazonas, de Quito. Al sorprenderme el aumento que pedía me dijo que el presidente Febres Cordero iba a ayudar a las universidades y para ello incrementaba el precio de los cigarrillos y bebidas. Aunque quedaba claro que quienes las ayudaríamos íbamos a ser nosotros, los consumidores, y no el presidente de la República, le pregunté qué tenía que ver el costo de los cigarrillos con el de la lustrada de zapatos. «Tiene que ver, me dijo, es que yo fumo».)

Esa arremetida general e irreflexiva contra la «cosa política» contradice la famosa «unidad política» del pueblo ecuatoriano en torno a determinados asuntos, todos ellos políticos: la despolitización o «despartidización» en la elección de la Corte Suprema de Justicia, la celebración de una Asamblea Popular con el fin político de cambiar la política y reformar la Constitución Política, sin olvidar ciertos oscuros anhelos ocultos de destituir a los más altos magistrados y dignatarios o de prolongar su mandato[7]. Y todos, absolutamente todos, siguen declarándose ajenos e inmunes a la política.

7 Las primeras resoluciones de ese organismo, instalado en diciembre de 1997, desmintieron las declaraciones que en ese sentido habían hecho algunos candidatos.

De todo ello solo queda el derecho del pueblo a expresarse, aun cuando se equivoque, y
eso sucede más de una vez. De todo ello solo
queda el carácter sagrado de la voluntad popular, ratificado por la Historia y la Constitución
de todos los países. De ahí que causen risa, en
quienes reflexionan más allá de los titulares de
periódicos, las declaraciones de presidentes de
la República o de jefes de las Fuerzas Armadas
en el sentido de que «respetarán el resultado de
las elecciones» o de cualquier otra consulta popular. Como un regalo generoso, como una gra-
ciosa concesión.

EL «MACHO» Y EL MACHISMO

La caricatura que todos hacemos de todos quiere que el machismo sea patrimonio exclusivo de los latinoamericanos. Quienes nos lo atribuyen olvidan a nuestros maestros turcos, árabes, japoneses, italianos: baste recordar que los movimientos de emancipación o liberación de la mujer jamás cobraron entre ellos el vigor que siguen teniendo en otras sociedades. Mas de la caricatura, como de la calumnia, algo queda, y es para siempre: nadie nos quitará el descrédito creado quien sabe por quién, a más de nosotros mismos.

Pero semejante confusión histórica y geográfica aparte, sí parece más nuestro ese prototipo del «macho», que poco tiene que ver con el machismo. Para comenzar, no sigue un comportamiento sino que ofrece un espectáculo que, por su propia naturaleza no es ni puede ser constante sino intermitente u ocasional: el «macho» adopta su actitud de bravucón cuando puede exhibirla, necesita de un público ante el cual lucirse, tal como el que ofrecen los espectadores de una riña, los miembros del Congreso Nacional, los consumidores de televisión. Y como si esa actitud correspondiera a una falta de virilidad física y hasta moral, ciertos políticos —los «libaneses» y los de la Costa no son los únicos, pero entre ellos se los encuentra más comúnmente llevando a su ámbito una actitud de origen popular— tienen una curiosa necesidad de proclamar e insistir, con demasiada frecuencia, en que son «muy machos», «muy hombres», que adoptan «actitudes viriles» —en oposición a sus rivales que son, no faltaba más, «homosexuales»: basta ver en cada campaña electoral lo que escriben en las paredes de la ciudad—, «con los pantalones bien puestos» —olvidando que hoy día los llevan también las mujeres— y que se los encontrará «en cualquier terreno», «como a varón», aludiendo fundamentalmente a su disposición para el puñetazo, el puntapié o el disparo. (Un eterno aspirante a la presidencia de la República ha declarado, quizás para demostrar sus aptitudes para el cargo, que un presidente debe tener «cerebro, corazón y solvencia testicular», a la que, en su caso, se añade, además, una solvencia mingitoria.) Por eso nunca dan a nadie la sensación equivocada de que se trata de hacer alarde del «conjunto de condiciones anatómicas y fisiológicas que caracterizan a cada sexo», que es la primera definición de sexualidad. Porque semejante reiteración de hombría y otras formas de propaganda, que solo por error puede parecer sexual, hacen pensar, antes que en un exceso, en una falta de atributos: ¿es que si no lo gritan, si no lo exhiben —un juez de Galápagos, ebrio, se desnudó en el salón principal de un buque escuela ante varias personas—, si no lo repiten no se advertiría que son «muy hombres», físicamente hablando, que es lo que les interesa? Nadie proclama, a los cuatro vientos, que es «muy inteligente»: hacerlo sería su propia negación.

De ahí, también, que nadie asocie al «macho» con el amor, ni siquiera con la lujuria: entre su fanfarronada de guapo y su relación con la mujer no hay más nexo que la ostentación de su capacidad para conquistarla únicamente en tanto que «buen puñete». El «macho» no es un seductor, ni un amante afortunado, ni siquiera un semental, sino el que vocifera puesto que el grito sustituye en él a las ideas, el que aguanta el dolor («como macho»; por eso, en una situación similar, se dice de la mujer que es «muy macha»), castiga la ofensa («como hombre»), rechaza la solidaridad o la ayuda, porque se basta por sí solo: en eso, únicamente en eso, pues le falta coraje para lo demás, se asemeja al «llanero» o a cualquier otro *cow boy*, siempre solitario. Consecuentemente, no representa a nadie sino a sí mismo: ése es su «valor», la condición misma de su hombría, y eso es el cacique político, que colma su soledad y su vacío de individuo con palabras llenas de significado colectivo: habla del pueblo, de la patria, de los pobres. Siguiendo ese punto de vista, la brutalidad en grupo de las bandas o pandillas, generalmente de jóvenes —así comenzó en Alemania el fascismo—, demostraría que están formadas por machos venidos a menos o que no llegaron a serlo enteramente: de machos cobardes, en el fondo, aunque solamente en apariencia sea una contradicción de principio: en muchos casos el provocador termina por mostrar su cobardía. Porque ésta resulta de la unión del machismo y el poder, cualquier clase de poder —se trate de un obscuro Secretario de la Administración o del matón o delincuente urbano, del ministro cerril o de su guardaespaldas, del chofer de autobús o del policía sobornado—, igual que la estolidez que muestra sus uñas en el racismo, el regionalismo, la agresividad gratuita, la ironía idiota.

Nadie, ni siquiera él, asocia al «macho» con la masculinidad: le falta inteligencia para eso, no tiene nociones de ética ni de pensamiento, no puede reconocer en sí mismo rasgos o atributos que suelen existir también en el prototipo femenino: su brutalidad se ejerce además, y hasta de preferencia, contra la mujer, lo que para él no menoscaba sino que estúpidamente reafirma la autoapreciación de su «valentía»: ha demostrado que «sigue siendo el que manda», aunque para ella sea ésa, más que cualquier otra, la expresión acabada de la cobardía, por lo que lo llamará, sin más, «maricón». («... entre abril de 1994 y octubre de 1996, se formularon más de 23.000 denuncias por agresiones contra las mujeres, entre las que el maltrato físico y psicológico alcanzó el 87 por ciento, mientras que el sexual superó el tres por ciento». Entre los agresores, todos machistas y, además, machos, «figuran los trabajadores informales, empleados asalariados, profesionales, así como policías y militares quienes no gozan de fuero alguno si son citados a las Comisarías de la Mujer.»[1] Según el Centro de Investigaciones de la Mujer Ecuatoriana, el 73 por ciento de mujeres son golpeadas por sus cónyuges; de ellas, el 37 por ciento son golpeadas por lo menos una vez al mes y, en algunos casos, diariamente; el 12 por ciento aseguran que fueron agredidas sin motivo alguno; el 54 por ciento de mujeres maltratadas presenciaron escenas de violencia doméstica en su infancia; el 78 por ciento recibieron golpes cuando eran niñas; el 17 por ciento huyeron de sus hogares, por razones de violencia, en su infancia.[2] Es evidente que estos datos no comprenden a las indias, puesto que no acuden a tales oficinas ya que la justicia, inclusive ésa, la imparten y administran, en español, blancos o casi, y porque, con un lugar común como ejemplo de sometimien-

---

1 Susana Madera: «Crece el maltrato a la mujer», revista *Domingo*, Quito, 17 de agosto de 1997. No queda claro si las cifras se refieren al país entero o solo a Guayaquil.
2 *Blanco y Negro*, Quito, 13 de diciembre de 1998.

to, suelen justificar el maltrato diciendo: «Para eso es marido: para que pegue».)

El macho ignora que «la relación sexual es el acto más íntimo y bello entre los seres», según decía el romántico Karl Marx. Por el contrario, incurre en un exhibicionismo torpe, sombrío, sórdido —y la jactancia denota, ¿además o ante todo?, su desprecio de la mujer—, tratando de compensar la incapacidad de erotismo con la proclividad a la pornografía. (Sería interesante analizar los motivos secretos que llevaron a algunas autoridades secundarias de la Municipalidad de Quito, ayudadas por señoras muy diligentes, a tratar de prohibir el Primer Festival de Erotismo en diciembre de 1998.) Los hermanos Goncourt escribieron que «Dios hizo el coito, el hombre hizo el amor», lo cual es cronológicamente cierto; pero el hombre puso amor en él. Mas, para ello, fue esencial aprender a amar, o sea también a admirar y respetar, y parece que ese largo aprendizaje debió haber comenzado después del hombre de Cro-Magnon. Y aunque las confesiones de Alfredo Adum (ministro, evidentemente, de Bucaram), recogidas por todos los periódicos del país, son harto conocidas, cabe reproducirlas como muestra de lo cotidiano del lumpen erigido en exceso y de la prolongación oficial que puede tener un comportamiento generalizado en los sectores que la integran, como se desprende de las denuncias en las Comisarías de la Mujer y la Familia: «Hubiera querido vivir en esa época de las cavernas. Mujer que me gustaba la cogía del moño y me la llevaba a la cueva y me la comía. Satisfacía mis apetencias sexuales y mis apetencias biológicas, porque en esa época se comía a las mujeres en ambos sentidos». (En la misma ocasión hizo su autorretrato: «A veces digo que la única diferencia entre el hombre de Cromañón y Alfredo Adum es la ropa.»)

A diferencia de la caricatura mexicana que puede servirle de modelo —la argentina, después del apogeo del *compadrito* exaltado por Borges, es más bien verbal y está, en parte, desmentida por el llanto del varón en el tango a causa de la mujer, trátese de una *percanta* o de una *bacana*—, el «macho» va usualmente desarmado, mas cuando es dirigente político —y aquí el cacique es el «macho» por excelencia— o diputado lleva consigo pistola, revólver, látigo, o arroja a la cabeza de otro lo que encuentra a mano, sea botella o cenicero, como rúbrica de sus amenazas. Pero se acobarda ante las «barras» que no han sido llevadas por su partido, y no es raro que vote como ellas exigen cuando se trata de la modificación, sin otro argumento que su gritería, de algún proyecto de ley.

Tal vez no sea del todo desacertado atribuir a esa actitud las medidas de seguridad desmesuradas, tropicales, similares a las de los dictadores africanos vestidos por Christian Dior, que han adoptado algunos arquetipos de «macho» en el poder. Con excepción de Rodrigo Borja —quien solía conducir a veces su propio vehículo e, incluso, hacer cortos e imprudentes recorridos a pie por la ciudad—, hay algo como una embriaguez o un orgasmo en el alarido de las sirenas de numerosas motocicletas y vehículos policiales, con guardias uniformados o no, fuertemente armados, apartando a la plebe, al populacho miserable y a los demás vehículos, abriendo groseramente paso por las calles al carro de la Presidencia. Suponer que siempre hay alguien que quiera matar al mandatario, que en cualquier momento alguien pueda atentar contra su vida —en un país en el cual un solo presidente en ejercicio ha sido víctima de un atentado—, más que constituir una prueba de que el «señor presidente» tiene mala conciencia de sus actos o de su impopularidad, parecería mostrar, no siquiera un delirio de persecución —que siempre va asociado a un sentimiento de inferioridad— sino la necesidad de sentir y hacer sentir que es importante, quizás con la certeza de no serlo tanto. (Hace algunos años, en Londres, me detuve en un vehículo al llegar a un semáforo. En la esquina, donde esperaban en sentido transversal, arrancaron, con la luz verde, dos motocicletas y un automóvil, a través de cuya ventanilla pude ver a «Su Majestad por la gracia de Dios, Elisabeth II, reina del Reino Unido de Gran Bretaña y de Irlanda del Norte y de sus otros reinos y territorios, jefe del Commonwealth y defensora de la Fe», que son sus títulos y dignidades, y a su esposo, Philip Mountbatten, Duque de Edimburgo, Conde de Merioneth, Barón Greenweich, Príncipe del Reino Unido de Gran Bretaña y de Irlanda del Norte, regente eventual y príncipe consorte. Decir que, claro, eso era en Londres y no en un país del Tercer Mundo, no explica nada: el IRA, de Irlanda, ha reivindicado espantosos atentados en Inglaterra.)

Curiosamente, no se encuentra un estereotipo femenino opuesto al «macho». Sería, en principio, la «hembra», pero el término tiene connotaciones referidas casi exclusivamente al cuerpo, más aún cuando se habla de una «real hembra», lo que podría desvirtuar el modelo, ya por una actitud despectiva, ya por una exaltación de orden sexual. No es imposible que el macho se jacte de tenerla: «mi hembra» significa mucho más que «mi mujer»: entraña el triunfo de la conquista, la ostentación de la propiedad apetecida por todos los de su calaña y cierta garantía de independencia que de algún modo pierde, pese a hacer alarde de su libertad, el marido respecto de la «esposa», lo cual no sucede con la amante o «concubina». (Hay en la Costa grupos, no sé de qué dimensiones, e individuos que la llaman «carne» o «una carne», frente a lo cual huelga, por dignidad, todo comentario.)

Para el «macho», y para gran parte del país, el arquetipo de mujer reúne las cualidades de «decente» (en el sentido de recatada sexualmente), «sumisa» (lo que significa sin reacción ni respuesta a cuanto se le impone), «sufrida» (en la acepción de resignada) y, sabido es que se le han atribuido tradicionalmente las tareas específicas de madre, esposa o hija. Según el orden natural sería a la inversa, pero se trataba de ennoblecerla con una gradación de sus funciones. Lo evidente es que la mujer no podía ser sino eso, no «ella», por sí misma, individuo de la especie humana, sino alguien respecto y en función del hombre (sin importar que la prostituta también entre en esa categoría): debió pasar mucho tiempo para que, ya sin temor a ser tratada de *carishina* y sin salir de la condición de hija, la mujer fuera también investigadora médica, abogada, arquitecta, educadora, gerente, administradora, secretaria, sin necesidad de ser esposa ni madre, y hasta con la decisión de no llegar a serlo, como una reivindicación de «género»[3]. Pe-

---

3 No dejaba de extrañar que hubiera solo uno, como si no pudiera el término designar, en otros casos, a los varones, hasta que la norteamericana Monique Wittig lo aclaró en un estudio sobre Djuna Barnes (*La Passion*, Paris, Flammarion, 1982): «*El género* es el indicio lingüístico de la oposición política entre los sexos. Se emplea aquí género en singular dado que, en efecto, no hay dos géneros, sino uno solo: el femenino, puesto que lo "masculino" no es un género, sino lo general. De ahí se desprende que hay lo general y lo femenino, la marca de lo femenino. Es

se a ello, en las reuniones sociales, prácticamente de todas las clases y círculos, subsiste hasta
hoy entre hombres y mujeres la costumbre de
formar grupos separados: ellas van usualmente,
con el ama de casa, a la sala o salón (en menor
número, pueden ir a la cocina); ellos, con el jefe de familia, al escritorio o biblioteca, en caso
de que hubiera, o a la terraza, según la hora del
día y la estación del año. Un criterio machista lo
atribuía al hecho de que las mujeres no podían
participar en la conversación de los varones
—sobre fútbol, política, arte, literatura (como si
a todos los machistas les interesara la cultura),
cuando no anécdotas y hasta la lista de sus propias aventuras—, puesto que ellas, supuestamente, solo hablaban de modas, sirvientas, recetas
de belleza o de cocina, pañales e hijos. (Sin
compartir el supuesto de que tales son los temas
únicos de su conversación, cabría atribuir a la
«decencia» y el «recato», que el varón cree obligatorios en ellas, el hecho de suponer que no re-
latan también sus andanzas.) Pero semejante explicación o excusa no es válida cuando en el grupo de mujeres hay profesionales o funcionarios

lo que hace decir a Nathalie Sarraute que no puede utilizar el femenino cuando quiere generalizar (y no particularizar) aquello
sobre lo cual escribe. Y puesto que el desafío de su obra es abs-
traer a partir de una materia concreta (o sea hacerla existir en
palabras, en conceptos), el empleo del femenino es frecuentemente imposible ya que su sola presencia desnaturaliza su propósito [...] Así, pues, solo lo general es lo abstracto y sólo lo femenino es concreto...» (La traducción es mía.)

de rango a veces más elevado que el de su marido: son aquellas de quienes, por ser inteligentes,
el machismo dice que «parecen hombres». Mas
tampoco pienso que deba verse en ese aisla-
miento momentáneo una actitud de desquite o
venganza fácilmente confundible con un feminismo barato. Quizás sea algo más simple: la
perpetuación de una costumbre notoriamente
abandonada por los jóvenes.

Si todos los defectos del poder —absolutismo,
despotismo, nepotismo, irrespeto de los derechos humanos, corrupción desmesurada...— parecieron exacerbarse en un gobierno derrocado
por un número de voluntades mayor que el de
sus electores, ello se debe a que en sus integran-
tes, colaboradores, asesores, sirvientes y esbi-
rros se exacerbaron también los atributos del
«macho», tales como la inmoralidad, la fealdad
del cuerpo unida a la del espíritu y, como parte
de ello, la obscenidad, porque lo más sucio de
una persona sucia es una sexualidad sucia. Tal
es el punto donde se juntan la sordidez con la
vulgaridad, o sea las agresiones contra la ética y
contra la estética.

Qué pensar de ese candidato presidencial
tenaz cuyo más profundo análisis ideológico de
sus adversarios políticos fue decir, de uno, que
«tiene testículos más pequeños» que los suyos y,
de otro, que «su esperma es aguado», sin que na-

die le hiciera ver, en ambos casos, que la pregunta obvia que todos podían hacerse era en qué experiencia personal de comparación basaba su juicio. Igual que preguntarse en qué momento o situación única puede alguien saber que un hombre «no usa ropa interior y, como no se lava la boca, tiene mal aliento en la mañana».

Es difícil descubrir si un primer mandatario actúa, con quienes lo rodean, como la manzana dañada, si ejerce una suerte de magisterio, si constituye un ejemplo de conducta o si se rodea de sujetos de la misma calaña que la suya, en una búsqueda de apoyo moral inmoral: ¿cuántos incondicionales compartieron, como el almuerzo que le ofreció en Palacio, la admiración del presidente ése por Lorena Bobbit, cuántos estuvieron de acuerdo en invitarla al país y declararla «heroína» —aún antes de que incluyera en sus méritos para serlo haber golpeado salvajemente a su madre—, cuántos en llevarla al Congreso y, en su honor, aprobar de prisa algunos artículos de una ley —respecto de porcentajes de empleo para la mujer, difícilmente aplicables—, cuántos convinieron en competir con ella proponiendo o auspiciando la castración ya no de un marido abusivo, por parte de su mujer humillada, sino más bien de violadores de menores por parte del Estado, cuántos en que «se la ve mejor que en la televisión» para cantar y bailar y fotografiarse a su lado en una fiesta de bautizo?

¿Y no se relacionan con toda esa basura sexual de lupanar el gesto obsceno, típico del «macho», con que aquel jefe del Estado representó lo que, a su juicio, «les gusta a las negras de Esmeraldas», con dos de las cuales, según una revista argentina, mantenía «romances de burdel» (hizo otro gesto, de igual significado, cuando dijo que a los diputados, para que aprobaran un proyecto suyo, les dio «dedo en lugar de dinero»); el hecho —según la revista *Elle*, de París— de levantar el borde de la falda de la candidata a la vicepresidencia mientras preguntaba a los electores potenciales: «¿Verdad que tiene lindas piernas?»; la escatología (en la segunda acepción de la palabra, ya que de la primera —«conjunto de creencias y doctrinas referentes a la vida de ultratumba»— ignoran incluso su existencia) de que dieron muestras el delfín y sus compañeros de equipo y de parranda, adolescentes que aprendieron las lecciones para ser machos dadas por sus padres, al ensuciar con diversas substancias blandas las paredes de sus habitaciones en un hotel de Cuenca; el escándalo suscitado por un ministro, aprovechando la aglomeración de fanáticos de un cantante español, por la pérdida de unos calzoncillos excesivamente numerosos y, a la larga, excesivamente caros para el gerente de otro hotel, agregando que «seguramente se los habrá robado un homosexual» (vaya uno a saber si por su diseño o como fetiche del varón), el mismo que dijo, sin salirse de su ámbito, que los periodistas eran «defensores de los gays» —porque perseguirlos, hostigarlos, meterlos presos y torturarlos da categoría de «macho» a quien lo hace: a los policías, por ejemplo— y pidió que se declarara persona no grata a la periodista extranjera que transmitió la noticia a su agencia? Y conocido es el caso del subalterno que, en el momento de contratar a tres mujeres, preguntó a un ministro «en condición de qué», obteniendo como respuesta: «En condición de putas»; y conocidos en Quito los problemas surgidos entre los simiescos proxenetas de la «gallada» y los porteros del Hotel Colón, cuando los primeros trataban de hacer entrar a mujeres cuya ralea era reconocible a diez cuadras de distancia...

Para Ernesto Sábato, «el sexo es una forma primaria de poder». Daría para rato y muchas páginas interpretar esa definición, pero el poder, político o económico, puesto que es generalmente ejercido por los varones, igual que la celebridad, parece haber tenido siempre, más entre las mujeres, un atractivo sexual que conduce a la obediencia o a la dominación. (También un cálculo, puesto que no cabe descartar aquí las ya famosas denuncias de «acoso» que, cuando son de *sexual harassment*, se vuelven sospechosas dado que, entre los yanquis, surten efecto si los acosadores acusados son millonarios o presidentes.) Solo así puede interpretarse el caso de la corista que, tras haber bailado con el diputado que convirtió en club nocturno una sala del Congreso, y creyó seguramente haber llegado a la cumbre de su carrera al aparecer contoneándose nada menos que con el presidente de la República, proteste después —como avergonzada de haber tenido al corrupto por pareja y como si se hubiera tratado de una celebración íntima o de un acto privado— por haberse publicado la foto del jolgorio en los diarios y en los carteles que se exhibieron en la inmensa manifestación nacional de repudio al poder.

Distinto es el caso de la mujer que desfiló desnuda por las calles de Guayaquil enarbolando un letrero, «Déjenlo volver». La alusión a Bucaram —porque no era en favor de Dahik ni de Verduga— es identificable e inconfundible por el estilo: se trata de una partidaria fanática o de una asalariada que se puede contratar para otros servicios u otros partidos de la misma ralea.

LA DEGRADACION MORAL
DE LA PALABRA

En varias ocasiones he debido recordar el hallaz-
go de algunos sabios soviéticos quienes, dado
que no hay lenguas fósiles que permitan establecer una fecha de origen, dedujeron que allí
donde se encontraron puntas de lanza iguales
existió ya el lenguaje, como un medio para la
transmisión del saber. Desde entonces, y durante cerca de un millón de años, se desarrolló la
que es, seguramente, la más grande hazaña de
la humanidad: la invención del lenguaje para co-
municarse por medio de la palabra entre los seres humanos.[1]

O sea para conocerse: es por intermedio del
lenguaje como se descubre al otro y hasta se llega al fondo de él, si se deja: lo demuestra la palabrería, más y menos espontánea, en el diván
del psicoanalista y en el confesionario del sacer-
dote, lo que probaría, de paso, que es más fácil
mentir de rodillas que acostado. La literatura,
también, expresión superior de la lengua forja-

---

1 Es únicamente en esta acepción que utilizo el término en el presente capítulo.

da, a diario y a golpes, por los pueblos y los poetas: conocimiento de sí mismo y del mundo, definición y diferenciación de cada uno: «El estilo
es el hombre».

El lenguaje es producto de la clase social
que lo emplea: el que nos trajeron de España
fue, al comienzo, el de los soldados, aventure-
ros, delincuentes, prófugos de la justicia. Solo
después vino, con la gente de Iglesia y los funcionarios de la Corte, la lengua culta. Así, sea literario o popular, vernáculo, monosilábico, aglu-
tinante; se trate de dialectos, jergas de oficios o
de grupos; cualquiera que fuera el uso de léxi-
cos, jerigonzas, neologismos, metáforas, imágenes y tropos..., responde a niveles y tipos de cultura y de educación.

Por su lenguaje los conoceréis, podría uno
decir, parafraseando un precepto bíblico. El modo de hablar en la Sierra ecuatoriana lleva, reconocible, la impronta del quichua, que desborda
también a las ciudades de la Costa, particularmente en cuanto a comidas y bebidas (¿no es
«chuchaqui» palabra de uso universal, sin sinónimo alguno, en el país?), pero, sobre todo, la del
modo de ser de su poblador. El abuso del diminutivo, que casi no existe en el litoral, parecería
corresponder a un sentimiento de ternura. En
muchas otras lenguas se construye el concepto
haciendo que el adjetivo «pequeño» —little,
small, petit...— preceda al sustantivo. Sin embar-

go, no es siempre, ni fundamentalmente, una cuestión de tamaño lo que quiere significar: la «gallinita» del indio puede ser robusta, pero el diminutivo cobra mayor significado cuando se ve obligado a venderla o cuando se la han robado; los «maicitos», que pueden haber estado crecidos, son llamados así, con cariño, cuando se ponen tristes con la sequía: me parece encontrar, más bien, una relación amorosa recíproca: la tierra depende de quien la cultiva tal como éste depende de ella. Y el uso del gerundio en el modo imperativo parecería indicar una actitud de timidez: el triste, el solitario, el engañado, el que no es ni existe ni tiene autoridad alguna, no puede ordenar, el que nada tiene pide que le den. Así, no dirá «¡Pásame el pan!» sino «Dame pasando el pan», y «Le dirás que venga» toma la forma de «Darás diciendo que venga», como un sustituto del ruego: «Por favor...» Siempre el verbo es dar, con cualquier gerundio, hasta el punto de que puede decirse de un poeta que «nos da diciendo» lo que sentimos, lo que pensamos. Si con el modo imperativo «se manda, exhorta, ruega, anima o disuade», en el comportamiento de la serranía ecuatoriana tiene arraigo el ruego; en la Costa más bien se manda.

¿Forma de hablar errónea? Para la lingüística contemporánea, no hay una lengua correcta sino una lengua vigente. Lo cual no quiere decir que todas las formas sean igualmente válidas ni que, una vez encontrado o explicado el origen de la deformación, ésta pueda autorizarse. El uso exagerado del diminutivo llega a fastidiar, no por incorrecto sino, realmente, porque denota sumisión, humillación, ruego, timidez («Regáleme una firmita», «¿Quiere un vasito de agüita?») o disculpa («No sea malito, vuelva a llamar en una horita»), como si prescindir de él fuera un atrevimiento, como si el interlocutor fuera siempre alguien «superior» a quien pide. Tal es la consecuencia de una forma de sociedad perpendicular, escalonada, con estratos casi minerales de grupos e individuos superpuestos, aplastados desde hace siglos por ellos mismos y por el Estado que —pese a ser «el primer marco de identidad para las mayorías»— algunos confunden con el gobierno. Y para las mayorías no es el suyo: el Estado pertenece a otros.

Antes de ser creador de lenguaje, el hombre es un receptor de palabras: el niño no es tonto: sucede que le faltan los vocablos para expresarse y construye su lenguaje repitiendo los que escucha de sus padres, de sus profesores y demás adultos, en la familia, la escuela, el barrio, la televisión. Aprende, además, las palabras groseras, burdas, obscenas que inventan los que tienen el alma sucia y que, según su propia alma, acogerá como propias o rechazará por higiene. Igual sucede con los pueblos: la autoridad se ejerce, ante todo, mediante el lenguaje: la ley es-

tá escrita con palabras y en el Ecuador, en demostración mayúscula de desprecio a gran parte de la población y de racismo, solo en un idio-
ma, pese a lo cual el policía, entre dos carajazos,
la hace cumplir. Y el agente, guardián o portero
tienen una sensación de poder al hablar exactamente como el ministro y el guardaespaldas como el diputado cuyas espaldas guarda.

Hablamos y escribimos mal. No por esos gi-
ros con que el modo de ser de gran parte del
país se ha introducido en una lengua de siglos
proveniente de España, sino porque la descuidamos. (Hace mucho tiempo señalaba en Europa
que en mi país quienes escriben y quienes leen
pertenecen a una capa de la clase media urbana.
De esa clase salen dictadores y poetas, agentes
de empresas transnacionales y trabajadores, industriales y colegialas... A ellos me estoy refi-
riendo.) Y no es posible atribuir a una coincidencia el hecho de que incluso los periodistas,
muchos periodistas, e inclusive los escritores,
muchos escritores, ignoren la gramática —«agre-
de», «habrán», «habrían», «hubieron[2]»...— y hasta la ortografía —«peremne», «antidiluviano»,

---

2 Hay quienes, como excusa por el error repetido, se dicen que,
   tarde o temprano, la Academia aceptará esas perversiones del
   verbo «haber», por estar generalizadas. Sin embargo, la popularidad y la frecuencia no son los únicos requisitos para consagrar
   un vocablo en el diccionario: antes está el sentido común, que
   es una de las formas de la filosofía. Hay una persona o veinte,
   un libro o cinco, o no hay ninguno: por ello existe el plural de
   «haber» solo como verbo auxiliar y no cuando denota existencia.

«cuotidiano»...—. Entonces cabe atribuir (de paso, ¿en materia de ética también?) a sus maestros de escuela, de colegio y de universidad los errores que cometen, quienes a su vez, etc. Y a ellos mismos: ya se sabe que es leyendo como se aprende a escribir.

El lenguaje varía también conforme a los sobresaltos de la Historia: en los periodos de decadencia, el lenguaje de las clases dominantes se vuelve rebuscado, alusivo, cursi: es el de *Las preciosas ridículas* y otros especímenes de la misma fauna, que ridiculizó Molière. Porque los intelectuales están, generalmente, «del otro lado», con los pueblos y se identifican con ellos en la preparación ideológica de su revancha: los Enciclopedistas y Voltaire en Francia; Trotsky y Lenin en la naciente URSS; los poetas Mao Tsetung en China y Ho Chi Min en Vietnam; Alejo Carpentier y Nicolás Guillén en Cuba; Ernesto Cardenal y Sergio Ramírez en Nicaragua..., hablan el mismo lenguaje, por el cual a veces son perseguidos, sobrio y preciso, como la poesía. Jamás se encontrará en ellos, ni en los momentos de triunfo ni en la derrota, el léxico soez del despotismo inculto.

Es evidente que uno desconfía del escritor en el poder, porque ¿hasta qué punto se puede ser poeta, o sea, por definición, libre y, al mismo tiempo, guardián; por definición dinamitero del orden y, al mismo tiempo, sirviente del orden? Y, obligado a escoger, ¿qué escoge el funcionario? Goethe, quien no comprendía cómo el destino pudo haber hecho de él «una pieza cosida en la administración de un Estado y de una familia real», declaraba, en sus *Conversaciones con Eckerman*, que en cuanto un poeta se pone al servicio de un gobierno «tiene que decir adiós a la libertad de espíritu, a la imparcialidad de su mirada y, por el contrario, tirar hasta sus orejas el capirote de la estrechez de espíritu y del odio ciego». Pese a ello, el propio Goethe decía: «Un hombre se destaca no tanto por haber dejado algunas obras como por haber vivido y actuado y llevado a los demás a vivir y actuar». Porque, si se trata de un escritor honesto, cuando llega al poder se propone realizar desde allí lo que era un ideal casi utópico: Malraux se preguntaba: «¿Dónde vale más estar para poner fin a la guerra de Argelia? ¿En el Café de Flore o en el gobierno?» Pero uno prefiere a los que, desde la oposición al poder, se pusieron en el bando de la libertad y de la justicia: Diderot, Victor Hugo, Juan Montalvo, Zola, Heinrich Böhl, Günter Grass, Jannis Ritsos, James Baldwin, Noam Chomsky, Neruda, Cortázar, García Márquez, Juan Gelman...

Mientras, por un lado, uno creería encontrar en el país (y quizás en Latinoamérica toda) cierto respeto, incluso admiración, por el escritor y el artista y una pasión generalizada por la poesía, el odio al intelectual parece, entre nosotros, inherente al ejercicio del poder, por dos razones principales: por una certeza de la propia inferioridad, que pretende superarse con el desplante verbal, y porque el intelectual, como cualquier otro ser humano, dado que no puede escapar a su inserción en el mundo y en la sociedad, tampoco escapa a la política y lo hace, por razones que parecen lógicas y hasta obvias, en el sitio que mejor le corresponde: la crítica. Y ésta fastidia al absolutismo, a la monarquía, a la dictadura, puesto que el sistema tiene conciencia del peligro de la inteligencia.

El odio del poder a la gente de cultura reaparece entre nosotros con los mismos intervalos con que la prepotencia se encarama en el gobierno: en la época republicana va desde los «rábulas» (aplicado no solo a abogados) de Velasco Ibarra, pasa por los «vagos» (fundamentalmente los sociólogos) de Febres Cordero, hasta los «testaferros intelectuales» (sin indicar a qué asunto ajeno prestan su nombre, que eso es ser testaferro) de Bucaram Ortiz. El único mérito de este último y de algún colaborador suyo es haber reconocido a los periodistas la categoría de intelectual que, a veces, ellos mismos olvidan.

(El primer día de gobierno de Bucaram, el Secretario General de la Administración pretendió que los periodistas encargados de cubrir la información relativa a la presidencia inscribieran en la secretaría su dirección y teléfono «por acaso se pierda algo en palacio»: los periodistas como ladrones. Pocos días después, el Secretario de Prensa de la Presidencia hacía improvisar una suerte de corral para sus ex colegas: los periodistas como animales.)

Los que se masturban oralmente con el ultraje y las ofensas de primer grado pretenden hablar como el pueblo, pero, como no pertenecen a él, lo insultan y caricaturizan al presentar como popular el lenguaje infame de las cantinas de mala muerte, el de las prisiones, el de los prostíbulos, que no constituye, precisamente por ello, el lenguaje aprendido en la «escuela de la calle». Y también ofenden al pueblo al escamotearle el significado de las palabras. Decía yo en otro texto que nos ha sucedido como a Adán después de la Caída, cuando los términos ya no se identificaban con las cosas y los seres que nombraban sino que pasaron a ser signos abstractos: el discurso oficial ha pervertido el lenguaje mediante una alteración del sentido de las palabras, que es simétrica a una degradación moral. Sucede que el lenguaje es un autorretrato oral: así como «cada uno tiene la cara que merece», cada uno tiene el lenguaje que le corresponde: los deslenguados que en la televisión, la radio o el Parlamento vociferan, difaman, agravian y se enorgullecen de ello, hacen una decla

ración de sus señas de identidad, que quedan registradas como en un pasaporte.[3] Cuando la
afrenta o la injuria son dictados, ocasionalmente, por un estallido de indignación suele decirse
que, aún siendo justa, ese lenguaje denigra a
quien lo emplea. Pero cuando la agresión verbal
es practicada diariamente por una misma familia, un mismo grupo, procedente de una misma
región o ciudad y, con raras excepciones, dedi-
cados a la misma actividad de enriquecimiento,
y por sus sirvientes[4], es al revés: no se degradan
a sí mismos sino que han forjado su léxico en el
nivel del mercachifle, el contrabandista o el delincuente, al que solo en apariencia descienden,
pues ya estaban instalados a gusto en él, y pretenden llevarnos a todos a ese terreno, que es el
suyo. Lo peligroso de una escalada verbal es que
conduce o puede conducir a un tipo de agresión
diferente, cuando se recurre a otros lenguajes:
el de la trompada y el puntapié, digamos.

Las señoras con sombrero de mi infancia se
quejaban de quienes empleaban una «lengua de

3 Pongo, como ejemplo múltiple, a esos reporteros que dan su opinión personal junto a la noticia, a los que buscan elevar el *ra-
ting* de su programa con la calumnia y la indecencia, o a ese ha-
blador de la TV que, obedeciendo a quien le paga, acusó al diario *HOY* –o sea a unos cincuenta articulistas de todo el país– de
regionalismo, comunismo, antecedentes terroristas, vinculación
con el narcotráfico y otras babosadas de esa laya.
4 Pongo como ejemplo a ese director, inescrupuloso y deshones-
to, de un banco de Guayaquil y a empleados suyos, calumnian-
do a Quito, a representantes de su población y a su prensa a través de un canal de televisión y de periódicos pertenecientes al
mismo banco.

placeras». Frecuento poco el mercado, que ha sustituido a la plaza, pero los términos que allí escuché a veces, espontáneos y dirigidos a una persona, no tenían el rebuscamiento de la vulgaridad con que el poder y quienes aspiran a él, en sus diversos grados, tratan, también ocasionalmente, a individuos, grupos de personas e instituciones. O sea, a todos.

Para Lanza del Vasto la violencia está, antes de llegar a eso, «en todo lo que altera el orden armonioso de las cosas, comenzando por la violación de la verdad, la violación de la justicia, la violación de la confianza del otro». Así alude a quienes, chabacanos y abyectos, moralmente repugnantes, representan «la estupidez, la tontería, la imbecilidad, la incapacidad, la torpeza, la vacuidad, la estrechez de miras, la fatuidad, la idiotez, la locura, el desvarío [...], de los necios, los seres de inteligencia menguada, los de pocas luces, los débiles mentales, los tontos, los bobos, los superficiales; los mentecatos [...], los simples, los desequilibrados, los chiflados, los irresponsables, los embrutecidos [...]; payasos, simplotes, badulaques, papanatas, peleles, torpes, bodoques, pazguatos, zopencos, estólidos, majaderos y energúmenos...» La enumeración, aquí incompleta, la hizo el norteamericano Paul Tabori, hace algunos años, en su libro *The Natural Science of Stupidity*, traducido como *Historia de la estupidez humana*. Cualquier parecido con personas o hechos recientes es pura coincidencia. Pero no se trata de «epítetos» —«adjetivo o participio cuyo fin principal no es determinar o especificar el nombre, sino caracterizarlo» (DRAEL)—, como solía creer uno de los arriba enumerados, sino de una descripción, también incompleta: el mismo autor señala el hecho, nada asombroso, de que el *Thesaurus* de Roget consagre seis columnas a los sinónimos, verbos, nombres y adjetivos de la «estupidez» —sin contar ciertos nombres propios—, mientras que la palabra «sensatez» apenas ocupa una. Lo único que nos falta es buscar, honestamente, en qué palabra entramos...

Y cabe aquí hablar de una de nuestras señas particulares: el chisme. Supongo que en el ámbito que crea se origina la expresión: «Pueblo chico, infierno grande» y que igual sucede, por ejemplo, a nivel de barrio en algunas ciudades mayores. También cabe suponer que lo cultiva, particularmente, la gente ociosa: los demás, que trabajan y deben esforzarse por sobrevivir, no tienen tiempo: es como si el esfuerzo físico o mental obligara a mantener cerrada la boca.

No se trata de simple hablilla que va de boca en boca entre el vulgo (pues corre también, y a veces de modo especial, entre quienes no conforman «el común de los hombres» o «populacho»): no es, por ejemplo, el rumor de que alguien ganó un premio sin haberlo divulgado, ni la falsedad, basada en una apreciación demasiado subjetiva, de que fulana, que es bastante «desengañada», estuvo muy hermosa el otro día... No es la imaginación de quien exagera sino del que inventa con ligereza, irreflexión, búsqueda de la risa aun cuando fuera a costa de la honra ajena; porque hay también maldad por rencor, envidia, venganza, y no siempre contra alguien que empleó el mismo procedimiento de deshonra.

(En el chisme político —las «bolas», ¿así llamadas porque ruedan?—, cuya frecuencia ha disminuido debido a la rapidez con que difunden la información verídica los medios de comunicación, se combinan la habladuría y un afán de ser el primer informado, el que sabe de buena fuente lo sucedido que los demás ignoran. Y para demostrarlo, en caso de que la noticia se hubiera propalado, aporta detalles y pormenores, opone incógnitas a la certeza de los otros, informa acerca de ramificaciones del hecho y consecuencias que habría tenido y que solo él conoce.) Pero el chisme, aún el inocente, lleva a la mentira que nos conduce de la mano a la calumnia, porque ésta ¿qué es —a más de «el arma de los cobardes»— sino una exageración del rumor malévolo, en tanto «acusación falsa», «hecha maliciosamente para causar daño» y, para ello, tornándola pública?[5]

---

5 ¿Cuántos fueron los que, mostrando su rostro, con nombre o sin él, a las cámaras de televisión, trataron impunemente al Presidente de la República de «asesino», con ocasión del atentado contra el diputado Jaime Hurtado?

En estas variaciones sobre la ofensa uno advierte que, entre nosotros, la calumnia y la injuria han dejado de ser delito, tal vez porque, desde hace algunos años, el poder viene dando profusamente ejemplo. Como la corrupción y el robo se han agravado sin medida ni castigo, también desde el poder la acusación de ladrón se volvió tan consuetudinaria, recíproca e impune que resultó necesario, al revés de lo que la lógica y el derecho exigen, demostrar que uno era honesto. Desde entonces, y aún desde antes, el agraviado se conformaba con publicar en la prensa un remitido titulado «Por mi honor hecho pedazos», en el que negaba al calumniador «toda autoridad moral» para acusarlo. Y ambos se reservaban el derecho de «presentar pruebas» oportunamente. Lo malo es que nunca llegaba el momento oportuno.

Un conocido jurista, que fue presidente de la Corte Suprema de Justicia, me recordó que se considera como calumnia grave la que entraña una «falsa imputación de un delito» o que «afecte gravemente al honor de una persona teniendo en cuenta su posición y su condición». De ahí que la imputación de robo a un gerente de banco, por ejemplo, es punible en mayor grado que otra, en igual sentido, que se hiciera, digamos, al empleado de una carnicería cuya «posición y condición» es diferente. (Pero igual sucede en Suiza donde «la Corte no vacilará en considerar como un atentado al honor la acusación de ateísmo lanzada contra un ministro del culto [protestante] o contra un fiel de confesión cristiana». Y en ese mismo país —modelo de democracia hasta que Jean Ziegler nos dio a conocer *Una Suiza por encima de toda sospecha* y denunció que *Suiza lava más blanco*— «el reproche de pertenecer al Partido Suizo del Trabajo [Comunista] es atentatorio al honor» según un fallo de la Corte de 1953.)

En los diez últimos años he conocido, en Ecuador, solo tres casos en los cuales la injuria calumniosa ha sido castigada: la de un diputado, de mediocridad conmovedora, que acusó por la radio al «hermano del Presi» de estar implicado en un negociado con las Fuerzas Armadas; también la de un diputado, de conmovedora mediocridad, quien acusó a un destacado jurisconsulto de estar envuelto en el tráfico de niños. En el primero, aunque parezca increíble, hubo acuerdos y manifestaciones de solidaridad... con el calumniador. Violadores de la ley, casi como ocupación habitual, pero defensores de la ley cuando ella les es útil, se argumentó que el presidente de la República, al imponerle una sanción, «no cumplió con los requisitos legales». (Yo, graduado en Derecho y enfermizamente preocupado por la corrección de la lengua que uso, no buscaría en el diccionario la palabra precisa para responder a quien insultara a mi madre, en lugar de darle una bofetada, pero, claro, yo no soy presidente de nada....) El calumniador fue, luego, «perdonado», sin que preocupara a nadie saber si para ello se cumplieron o no ciertos requisitos. En el segundo caso, me enteré de que hubo una apelación: no he sabido de condena alguna. Con lo cual volvimos, nuevamente, a fojas uno. La tercera excepción es la de Abdalá Bucaram, sentenciado por el Presidente de la Corte Suprema de la República a dos años de cárcel y una multa en sucres equivalente en ese momento a tres centavos de dólar, por calumnias a la diputada Alexandra Vela y al dirigente socialcristiano Jaime Nebot.

Estas reflexiones sobre la degradación de la palabra y el lenguaje coincidieron con la lectura, casi simultánea, de un comunicado de aquel jurisconsulto ecuatoriano «ante la infamia de un diputado», y de un artículo de un psiquiatra europeo que en el *Nouveau Quotidien* cuenta la patética curación de un tartamudo mediante el aprendizaje de insultos «muy groseros» y llama, abiertamente, al buen uso de invectivas «para romper con una sociedad que se ha vuelto obsesivamente afable, amable, asustada ante la menor desavenencia» y en la que ya no se puede escoger sino «entre la mermelada de los pensamientos positivos y el homicidio impulsivo». A lo que un periodista respondió: «¡Caramba! A semejante altura la injuria se convierte en necesidad social y para vaciar las salas de audiencia de casos demasiado sangrientos, más vale llenarlas con casos bien sonoros. ¡Festejemos pues el retorno de la injuria!».

De lo cual se deduce que podrían venir a aprender aquí el remedio para los males de una sociedad demasiado afable, amable y respetuosa. O para la tartamudez. Aquí donde no hay día sin que alguien injurie a alguien, aquí donde el chisme es moneda corriente, aquí donde la calumnia queda casi siempre sin castigo.

LA TRISTEZA DE LA ALEGRIA POPULAR

El primero que, retratándonos, dijo que los ecuatorianos parecemos «bolivianos con Valium», se refería seguramente a los de la Sierra, en alusión a la lentitud de sus reacciones, a su desgano de vivir, o sea a su tristeza. Para explicarla nos habíamos preguntado si los incas no nos substituyeron por mitimaes, si somos, desde entonces, afligidos extranjeros en nuestra propia tierra, si no viene de allí nuestra sensación de desarraigo. Se sabe que tal es el origen de los saraguros y los salasacas y se supone que es el de los otavaleños. ¿Y los demás? O fue, por contagio, un inmenso proceso de ósmosis de región a región, con excepción de la Costa: están, es cierto, el carácter del montuvio y otros mestizos de blancos, indios y negros que vinieron en los mismos barcos que los españoles, está la consabida amplitud de visión y perspectivas que se supone ofrece el mar, están el clima y hasta la alimentación: he oído a un psiquiatra decir que la vitalidad que se advierte en la región litoral proviene, en gran parte, de su mayor consumo de serotonina contenida en el banano. Pero también es verdad que los incas no se implantaron en la Costa, ni en la suya ni en la nuestra, aunque hay quienes sostienen la existencia del quichua entre los huancavilcas, cuyo nombre pertenecería a esa lengua, anterior a la invasión incásica que, por lo visto, así como no logró establecer aquí, de modo duradero, el principio básico de su legislación: «No robar, no mentir, no ser ocioso», tampoco impuso la obligación de ser felices.

(Me parece que se ha perdido —por lo menos no he vuelto a oírla o no con la frecuencia de antes— la reflexión que, tras un acceso ocasional de risa, solía hacerse, a medias asustado, el risueño: «¡Cómo me he reído! ¿Qué me irá a suceder?» Como si no tuviéramos derecho a reír, como si reír fuera un delito, contravención de una obligación de llorar o sufrir.)

Expresión elemental de esa tristeza son nuestras melodías (no creo que haya en la música de América Latina lamento más angustiado que el yaraví ecuatoriano), las auténticas, más populares, de raíz indígena o mestiza, que no puede explicarse por razones exclusivamente históricas —como sería la célebre interpretación del sentimiento de orfandad por la muerte de Atahualpa— o étnicas: la música del mexicano puede ser melancólica —¿no es *La Llorona* una suerte de contraseña nacional?— pero estalla en la exaltación de la fiesta y en ese alborozo que,

para el resto de América, encarnan los maria-
chis; y hay la inconfundible *saudade* en la aparentemente siempre festiva música brasileña.
Hay una música comparativamente alegre en varias comunidades indígenas y en las canciones
que exaltan la ciudad natal, con su río, a veces,
y sus muchachas, siempre, aunque para hacerlo
deba basar la alegría en una realidad que no
existe. ¿Quién, en nuestro país, podría decir, sin
música, como «el chullita quiteño», que se pasa
la vida «encantado»? ¿Quién podría asegurar —a
menos que se vea obligado a rimar con «quiteño», como en este caso— que para él «todo es un
sueño»? (La inventiva del poeta logra incluso alterar fenómenos atmosféricos: en otra canción,
en Quito el rocío no se condensa ni cae, sino
que «brota», al igual que brotan los «poetas y rui-
señores».)

Con tales excepciones, la canción ecuatoriana es un lamento constante por la soledad o por
la imposibilidad de amar o la inconstancia de la
«ingrata», llamamiento a la madre como un niño
desprotegido en la tiniebla, queja por la mala
suerte como definición del destino, invocación a
la muerte, comprobación de la infelicidad que
tanto abunda en nuestra poesía modernista de
comienzos del siglo: «y fuimos desgraciados y
siempre lo seremos» escribió Humberto Fierro.
¿Qué otra cosa, sino esa adecuación a la adver-
sidad, esa acariciada melancolía, ese empecina-

miento en sufrir, ese modo de ser nacional, pudo volver populares —hasta el punto de componer canciones con sus textos— a poetas aristocratizantes, que dieron la espalda a su país volviendo los ojos a la antigüedad clásica o a Francia, que nunca vieron la culebra sino que imaginaban cisnes, que no miraban a las muchachas morenas sino que soñaban con princesas rubias? ¿Es una ratificación poética, antes de hora, de la observación que Joaquín Gallegos Lara haría años después: «El Ecuador es un país donde toda felicidad que tenemos se la quitamos a alguien y donde aspirar a ser feliz es una canallada», y de la voluntad de no querer ser canallas?

Aunque en la Costa la pena cantada es menor y más rara la tendencia a la autoconmiseración —ejemplo, en este ámbito, sería el «amorfino», cuya música nostálgica contradice el carácter picaresco y alegre de la letra—, muchos de nuestros pasillos más hermosos y sentimentales han sido creados en esa región del país, donde se ha convertido en ídolos a quienes allí supieron interpretarlos mejor: ejemplo de adoración popular, que ningún ecuatoriano ha alcanzado en ninguna otra actividad, sigue siendo Julio Jaramillo.

Hoy día, jóvenes compositores que desconocen o desestiman la música tradicional —ni el género ni la letra corresponden a su tiempo, a su modo de ser, a su visión del mundo o del país o, en fin, a la de su propio porvenir, y tampoco tienen muchas oportunidades de escucharla: poco la transmiten las radiodifusoras, poco los canales de televisión y solo parcialmente se interpreta en sus bailes o reuniones—, atraidos por otra, más moderna y contemporánea de ellos, están iniciando un género híbrido, no bien aclimatado todavía, llamado «rock ecuatoriano». No se trata de una respuesta al candoroso pedido de una lectora de periódicos en el sentido de que no conviene seguir escribiendo sobre la tristeza ni componiendo música triste: se escribe y se compone en conformidad con lo que son la realidad, el arte y el artista. La creación de los jóvenes entraña una actitud de rebeldía contra un modo de ser y de cantar que les resulta ajeno, pero es ante todo una rebeldía contra la sociedad de los adultos, que se empeñan en tener siempre razón: no es por azar que, acusados de «satanismo» por un gobierno conservador, la policía —sin saber muy bien qué significa eso, pero atribuyéndose la condición de defensora de una religión monoteísta y llamada, además, a velar por nuestra identidad, ya que otro gobierno consideró que se trataba de una «penetración cultural nociva para el país»— detuvo en una semana a centenares de ellos, les cortó el cabello con cuchillos y terminó acusándolos de «marihuaneros». El mayor festival en que han participado, «Pululahua: rock desde el volcán», en febrero de 1999, junto a más de cincuenta grupos venidos de toda América, constituyó un éxito para sus organizadores: «Por más que los ecuatorianos no creamos en nosotros mismos, el festival fue perfecto», pese a que no parecen existir todavía aquí «los 15.000 fanáticos de las nuevas tendencias de ese género» que se necesitaban para que no fuera un fracaso financiero. (De 60.000 espectadores previstos, solo asistieron 3.000, lo que arrojó una pérdida de 250.000 dólares.) De todos modos, «al público no le importó descender y ascender diariamente más de una hora hasta la caldera; aguantó el frío, la lluvia y uno que otro retraso en el cronograma de presentaciones...»[1]. (Sabemos que la identidad no es imborrable y, que, al igual que la cultura, es heredada pero también se va haciendo y cambia: recurriendo nuevamente a la fotografía del documento de identidad personal como símil de la identidad colectiva, vemos que se modifica: el titular del pasaporte, en un momento dado, decide llevar anteojos o bigotes, se extirpa un forúnculo o se cura una llaga, o recurre a la cirugía plástica para cambiar el tamaño o la forma de la nariz. De ahí que no llega uno a entender, a menos que se trate de una vociglería demagógica y populachera, la protesta por la intro-

---

1 Renata Egüez, basada en una entrevista con Ricardo Perotti: «Las lecciones del Pululahua», *HOY*, 22 de febrero de 1999.

ducción —indetenible, por lo demás— en el país de nuevos ritmos: si bien el nombre de «rock ecuatoriano» parece una contradicción de términos, también lo fue el de «fox incaico», género de música tradicional, contra el que nadie refunfuñó; en cuanto al hecho en sí, y en pleno desarrollo, también indetenible, de la globalización —por mucho que se quiera llamarla «mundialización» o «goblaldeación»—, es posible que la protesta quiera justificarse por oposición al lugar de origen de los nuevos ritmos, pues aceptamos de buena gana, quizás porque son, por lo menos, latinoamericanos, el tango, el bolero, la rumba, la salsa. Lo mismo puede decirse de la vociferación contra las hamburguesas y los *hot dogs* —que ya nadie expulsará de ningún país donde hubieren entrado— por parte de quienes aceptaron e incorporaron a su dieta pizzas y espaguetis, luego —como signo de distinción, aunque pronunciándolas mal— *mousses* y *fondues*, y de quienes no puede asegurarse que no consuman, ellos también, lo que condenan.)

Hay una gran tristeza en la alegría popular de las recordaciones cívicas, percibidas sobre todo como día de asueto. Se sabe —más bien, se dice— que fueron grandes momentos de fiesta la llegada del tren a Quito, el centenario de la Declaración de la Independencia y el de la Batalla del Pichincha. Pero cabe dudar: en el primer caso, la alegría debió haber estado empañada por quienes maldecían ese invento del diablo traído por los ateos masones y liberales, que había ya matado a un niño, y los otros dos deben haber tenido un marcado carácter oficial, sin participación ciudadana. Recluida la celebración a fechas obligatorias, como las de fundación o independencia de la ciudad, y a horas determinadas, la morriña institucional se refleja en paradas militares o desfiles escolares, como de enanos: esas muchachas de falda hasta la pantorrilla (en los establecimientos que no tienen bastoneras), esos chicos con corbata y saco, igual que los niños indios vestidos con sombrero y poncho, como los mayores. Lo muestra la televisión, porque «a simple vista no se ve sino lo que se piensa; desde el momento en que interviene la cámara, se ven cosas que estaban ante los ojos y que no se percibían.»[2] En la tarde o la noche desemboca en la ejecución de música extranjera y bailes desconocidos, torpemente interpretados por gente poco acostumbrada a bailar —y que dan la misma sensación de ridículo que esas parejas vistas a través de una ventana, sin que se oiga la música que los mueve—, celebración impuesta por los fabricantes o distribuidores de licores que contratan y pagan a los conjuntos musicales y los equipos de sonido. Se produce, entonces, una deformación del contenido mismo de la ce-

2 Boris Cyrulnik: *La naissance du sens*, París, Hachette, 1995. La traducción es mía.

lebración. ¿Cómo concebir, sin que entrañe una contradicción de principio, la celebración de la fiesta local de Otavalo, ciudad india por antonomasia, con música norteamericana transmitida por potentes equipos de sonido en la plaza, o la conmemoración de la fundación española de Quito —con la elección de Reina, «Carretas del Rocío» y corridas de toros a las que asisten muchachas de sombrero cordobés y varones que beben jerez directamente de la bota, y a la tarde bailan pasodobles y escuchan cantar seguidillas en hoteles y salones— con música del Caribe? La española y ecuatoriana sirven para animar la «fiesta brava». Desde hace poco, la nuestra se ejecuta únicamente antes de que se inicie la corrida o entre dos toros. Dado que suelen venir diestros de Portugal, Venezuela y Colombia, cuya música no se toca en la plaza, cabría suponer que la autoridad ha decidido que, con excepción del pasodoble *Sangre ecuatoriana*, nuestra música no es «apta» para la fiesta. (Conviene resaltar, a este respecto, esa suerte de confraternidad y hasta de complicidad que suele darse en la plaza de toros, donde se comparten bocados y tragos entre desconocidos, se celebra el reencuentro en los días sucesivos y se festeja el ingenio popular de que son muestra las reprensiones al presidente de la Plaza. En el caso de Quito, puesto que todo ello coincide con la celebración del aniversario de su fundación, se desvirtúa, en cierto modo, la fiesta de los toros con los gritos de «¡Viva Quito!» que suele proferir una voz cada vez más aguardentosa.)

En el siglo XIX las corridas de toros eran una fiesta de participación popular. «Tres o cuatro mil individuos lo acosan [al toro] con silbidos, rechiflas y griterío. El toro casi siempre corre por los costados de la plaza, ocasión propicia que los espectadores aprovechan apiñándose y formando lo que denominan una muralla de barrigas. [...]; cuando la muralla es completa, el animal no se detiene a atacar a nadie, pero si encuentra un sitio descubierto, por allí embiste y produce espantosa batahola.»[3] Huelga compararlas con la lidia de hoy, encomendada exclusivamente a los diestros, con excepción de los «toros de pueblo», diversión en la que se provoca al animal para, jugando, huir de él. Interesa, en la descripción de Stevenson acerca de los disfraces y máscaras, en cuya elaboración «hay nativos que se distinguen por su habilidad», el respeto al disfrazado, cuyo privilegio era «mofarse de los demás» y tratar de descubrirlo se consideraba «actitud grosera», por lo cual el culpable «sería castigado de inmediato por los monos, quienes azotarían con sus largas colas al agresor, los frailes le golpearían con sus rosarios y los arrieros

3 W. B. Stevenson: «Cómo era Quito cuando se declaró libre» en Humberto Toscano: *El Ecuador visto por los extranjeros, la Colonia y la República*, Biblioteca Ecuatoriana Mínima, Quito, 1960.

con sus látigos.»[4] Las máscaras eran, en el siglo pasado, frecuentes en el carnaval y, hasta mediados del nuestro, en la celebración de los Inocentes. Pero la máscara no despersonaliza: el enmascarado sigue teniendo el mismo rostro que los demás, enmascarados a su vez o no, no ven y, sueltos los frenos de la cultura, es más parecido a sí mismo que nunca. Como nadie tratará de «desenmascararlo», se burlará de todos, particularmente de los conocidos que encuentre, con muestras de ingenio, como la «lección» que los niños pedían que repitiera el payaso, que entre nosotros da golpes en lugar de recibirlos, liberando impunemente su agresividad. Igual sentido de burla tienen esas noticias —las hay crueles y brutales— dadas por teléfono el 28 de diciembre, con voz disimulada (y las más inocentes que publican ese día algunos diarios), y que el ofendido debe perdonar como una broma y entender que se la hicieron «por inocente».

Considerando, tal vez, que las conmemoraciones cívicas deben contribuir a fomentar el patriotismo, en las ciudades mayores del país el cabildo, con apoyo de la prensa, ha contribuido a alegrar algunas de esas celebraciones: aunque es obligatoria la participación de los colegios, cuando no se trata de un desfile cívico-militar, le ponen color y ruido las escuelas de danza y carros alegóricos arreglados por las comisiones de

4 Idem.

tránsito, departamentos municipales u otras entidades. Asi, doblemente institucionalizada la fiesta, la presencia espontánea del pueblo, con gran número de niños, se reduce a los millares de curiosos que ven pasar la algarabía desde las aceras, sacudiendo una banderita del país o de la ciudad.

Es ejemplar el fenómeno de la fiesta grande, larga, suscitada por el Municipio del Distrito Metropolitano de Quito, en su administración anterior, con *Agosto, mes de las artes*, y de todas las artes, «porque la cultura es de todos». No transcurría en un día determinado, como sucede la noche del 5 de diciembre con la conmemoración de la fundación española de la ciudad: lo que se celebraba era la pertenencia a Quito, la conciencia del Quito y del país que tenemos y, es posible, la intuición del que quisiéramos que fuera. Y la fiesta de agosto no se convocaba en recuerdo del Primer Grito de Independencia: obedecía, más bien, al hecho de constituir un mes de vacaciones estudiantiles de verano y a que la mayor parte de los actos se realizaban al aire libre. Así, por un lado, se ofrecía a multitudes de jóvenes y niños, y también a adultos y viejos, numerosas oportunidades de esparcimiento al día y, por otro, se aseguraba a los artistas una participación popular masiva: en el quinto año consecutivo, había compartido la fiesta, en los diversos barrios, la tercera parte de la población de la ciudad. Pero interesa insistir en que esa festividad, a diferencia de casi todas, no recordaba una hazaña histórica distante sino que retomaba la teoría de la nación pequeña y culta. Más aún: se proponía la recuperación —¿o, quizás, invención?— de la autoestima con la cual comienzan a destacar, popularmente, nuestros valores esenciales, que vienen de todas las regiones del país, incluidos los de etnias del Oriente que se están extinguiendo, nuestra capacidad de crear arte y artesanía —¿a cuál de las dos pertenece ese milagro mágico y deslumbrador de la infancia, el de los castillos pirotécnicos revivido para niños y adultos por *Agosto*...?—, nuestra alegría de descubrir rasgos hermosos en lo que somos y olvidamos: el humor popular que se muestra en el juego del «cuarenta» único juego de cartas en el que los rivales no están torvos ni meditativos, y parecen competir tanto en puntos cuanto en pullas recíprocas, llenas de ingenio verbal), y en los *graffitti* políticos —los otros, los poéticos o amorosos, me parecen desvirtuar su intención de protesta y su carácter de expresión escrita de quienes no tienen en dónde publicarla—, en los retruécanos, acotaciones, juegos de palabras, sobrenombres (ni unos ni otros inocentes, pues revelan también una clara tendencia a la burla), la capacidad de reír, la hospitalidad creciente que se brinda a quienes vienen de otros lugares para asistir a la fiesta, el estrechamiento de la amistad por encontrarse en uno de esos cuatrocientos actos de cultura o por concurrir juntos a ellos, el entusiasmo que puede despertar incluso la música triste, por el solo hecho de escucharla en grupo. Esa participación es de doble dirección, puesto que combina dos factores por lo común divorciados: calidad estética y recepción popular. Se trató, al comienzo, de que todo el que supiera hacer algo —cantar, pintar, actuar, escribir, bailar, tocar un instrumento, cocinar...— lo hiciera en la calle, que el arte fuera a buscar a su destinatario final en donde está; tras apenas seis años, el público «tropezaba», literalmente, con manifestaciones artísticas y sabía que su fiesta sucedía no solo en las plazas, con su pregón, sus bandas de música municipal y populares, sus «zanqueros» convertidos en símbolo de *Agosto*..., sino también en teatros, cines, salas de concierto, galerías de arte, talleres de literatura y artesanales. (Antes del *boom* petrolero era raro, casi imposible, encontrar artesanías en los hogares de clase media alta: eso «hace pobre». Pero cuando comenzaron a instalarse en el país funcionarios y técnicos norteamericanos, aficionados al folclor, para ellos representado exclusivamente por esos objetos, cierto afán de asemejárseles hizo que comenzaran a entrar en las casas de ecuatorianos muebles, vajillas y adornos, inclusive ropa de mujer, de claro origen popular y tradicional.) Y era, la de *Agosto*..., una alegría colectiva, familiar, auténtica, que se desprendía de recordar que nosotros también somos capaces de hacer todo aquello que es nuestro y de lo cual nos enorgullecemos o que admiramos en cualquier cultura de que se trate. (El afianzamiento de las culturas del Ecuador no se hace mediante la prohibición, censura o desconocimiento de las ajenas. Recuerdo que en la India, y de esto hace algunos años, a fin de preservar la pureza de su música, no se permitía, ni siquiera a los estudiantes del conservatorio, escuchar la música «clásica» europea, pese a que los responsables de semejante política hacían frecuentes giras a Europa, donde ofrecían conciertos. El resultado era que en los salones de té y otros locales similares se escuchaban, casi de contrabando, aunque no clandestinamente, canciones occidentales —*Strangers in the night, Bésame mucho, The shadow of your smile*...— y hasta subproductos musicales popularizados por el cine.) Y si, a diferencia del dolor que es egoísta, la alegría es generosa y el lema «Quito es de todos» corresponde a una realidad nacional, esos brotes de autoestima se comparten. Aún antes de que cobrara vida el proyecto de suscitar la celebración de «meses culturales» en todo el país[5],

5 Se celebró un «Mes de las Artes» de octubre a noviembre de 1997 en Ibarra, de enero a febrero de 1998 en Loja, y de marzo a abril de ese año en Ambato y Riobamba. Hubo indicios de que la Oficina de la Cultura de la Paz, de la Presidencia de la Re-

semejantes experiencia y resultados han inspirado ya los actos agrupados bajo el lema de «Guayaquil vive por ti», impulsados por el cabildo de esa ciudad durante el mes de julio y, otros, en octubre: más recientes, son tal vez menos vastos en su concepción totalizadora, pero con alegría tropical, mayor. Cuenca, por su parte, anima la fiesta de su Bienal Internacional de Pintura y Dibujo que atrae algo más que un simple turismo cultural y a la que confluyen diversas actividades colaterales, y ha organizado la llamada Temporada de las Artes. Manta se ha convertido en una suerte de Capital del Teatro con su Festival Internacional anual, que se ha extendido a la provincia de Manabí, donde hasta ahora la calidad del público suele ser mejor que la de los espectáculos, entre los cuales destacan más, a veces, los conjuntos nacionales.

(En un informe de misión presentado a la Unesco[6], y en otros trabajos, recordaba yo que la base de nuestra identidad es la cultura popular. Es verdad que no tiene el prestigio de la tra-

pública, anunciada por Jamil Mahuad y aún no constituida, propondría el Mes de las Artes en todas las provincias del país, lo que vendría a compensar, con creces, la supresión de «Agosto...», por parte del Municipio de Quito, posibilidad que algún diario entrevió y que ningún funcionario ha desmentido. En abril de 1999, tras haber sido declarada Quito «Plaza Mayor de la Cultura» por la UCCI (Unión de Ciudades Capitales de Iberoamérica), la Municipalidad anunció que «Agosto, mes de las artes» sería el principal acontecimiento cultural del año. Pero no lo es.

6 JEA: «Desarrollo y cultura», en *Sin ambages*, Quito, Editorial Planeta Letraviva, 1989.

dición, que no está legitimada por la historia, que se está haciendo todavía, que cambia con rapidez en la ciudad y particularmente en el suburbio y que, expresada en cierto tipo de canción y de cine —que contribuyen, a su vez, a recrear una mitología de fácil consumo— suscita en ciertas esferas una actitud paternalista, cuando no de desprecio, que puede adueñarse de ella para manipularla. En efecto, debido a la industria audiovisual se puede intervenir con sutil habilidad para explotar o deformar la cultura popular «autogenerada», que crea sus propios valores, con valores culturales «inducidos». En el proceso de imposición de modelos que llegan a ser «populares» —entre otros, la aceptación de la publicidad comercial como verdad absoluta, la admiración de un estilo de vida que determina una estética (la de las telenovelas, por ejemplo) y, con el mismo «modelo ideográfico, la búsqueda de apoyo popular para las campañas políticas»— se llega a torcer y desviar lo que pudo haber sido auténtico. Los responsables de la planificación, los elaboradores de la política cultural, las autoridades encargadas de llevarla a la práctica están de acuerdo con los especialistas en cuestiones de cultura —e inclusive con sus opositores políticos— en dar la voz de alerta sobre la «desaparición gradual de las culturas populares tradicionales y la imposición de modelos de vida urbanos y extranjeros», agravadas por la globalización en marcha acelerada, y sobre el carácter nocivo que para la preservación de la cultura popular y, más aún, de la identidad puede tener, y usualmente tienen en nuestros países la mayoría de los productos audiovisuales destinados a esa entelequia llamada «público en general». Pero nadie aparece como responsable: ni el Estado que, contradictoriamente, a la vez que «se erige en gran educador o promotor de cultura», «practica una política implícita, no enunciada pero estrictamente cumplida de dejar hacer a los empresarios de la hecatombe cultural»[7]; ni tampoco los empresarios ni los propietarios de las «industrias culturales», ni los agentes de colocación y distribución de sus productos en el mercado. Frente a tales amenazas, la exaltación y defensa de la identidad, a través de nuestros valores culturales, ya no es solo necesaria sino urgente.)

La celebración religiosa, con su rito invariable y respetado, transcurre en el ámbito adusto y cerrado del templo. Solo cuando sale de allí se transforma en fiesta popular: algunas procesiones, como la del Viernes Santo, en una exhibición de fervor masoquista, cuando los fieles se azotan, arrastran cadenas y se crucifican ante una multitud que ningún político logra convocar; o el Día de Difuntos, cuando se va al cementerio a visitar a los seres queridos y, tratándose

7 Alfredo Chacón: *Ensayos de crítica cultural*, Caracas, Ediciones GAN, 1982.

de algunos grupos de indígenas o de mestizos, comer junto a ellos, sin que revista la importancia que en México tiene el culto a los muertos; en la parroquia de Licán, en la provincia del Chimborazo, el curioso paseo de una imagen de Jesús en un burro, en torno a la plaza, antes de volver a la iglesia para la Bendición de Ramos; la festividad de Corpus Christie se celebra, en Cuenca, dentro y fuera de la iglesia y el castillo pirotécnico cobra la importancia del altar; fiesta, popular, es el Pase del Niño, que concilia viejas tradiciones culturales andinas con otras introducidas por el catolicismo: célebre, desde hace años, en Cuenca, recientemente ha mostrado particular elegancia, participación masiva y alegre colorido en Quito...

Guamán Poma de Ayala daba cuenta de la preparación de la «chicha Yamor» por parte de las vírgenes, hace cuatrocientos años; la Fiesta del Yamor, institucionalizada hace cuarenta como fiesta de la fecundidad («celebración de matrimonios colectivos, culto a la tierra simbolizada en la mujer», según el poeta quichua Ariruma Kowii), resulta de haberse «fusionado con la celebración de un hecho religioso católico, en la fecha onomástica de la Virgen de Monserrate»[8] o del Socavón, en Otavalo. (Creo que ha desaparecido allí el tradicional encuentro y combate de

---

8 Paúl Mena: «Fiestas del Yamor-Coya Raimi 97: Un esfuerzo de integración cultural», *Semana*, suplemento del diario *Expreso*, Guayaquil, 14 de septiembre de 1997.

los «corazas», «sanjuanes» o pendoneros, el 24 de junio, y que solía saldarse, si no con muertos, con heridos.) Dado que en las mismas fechas de septiembre se venía celebrando también la fiesta de la Reina del Sol o Coya Raimi, el Municipio de Otavalo y la Federación Indígena Campesina de Imbabura decidieron la celebración conjunta de las «Fiestas del Yamor-Coya Raimi 97», que han mantenido rasgos de hermosa autenticidad —el colorido desfile de comparsas y ofrendas, la travesía del lago San Pablo en «caballos» de totora, el envío de «chasquis» a lugares cercanos...— pese a la reciente introducción de una Feria Taurina. Se ha organizado un evento, «Otavalo y sus artistas» que, en principio, deberá sustituir a los conjuntos de música extranjera. Según las autoridades, se busca una integración indio-mestiza y la Reina del Yamor 1997 ha declarado: «Los indígenas y los mestizos debemos respetar nuestras propias costumbres y darnos un lugar propio. No es que seamos racistas, sino que, por ejemplo, en un certamen no nos podemos vestir iguales, pues creo que los indígenas deben conservar su tradición.»[9] Kowi es más cortante: para él, la Sarañusta o elección de la Reina del Maíz «es una agresión a la cultura quichua, porque en nuestra tradición nunca se ha hecho una elección de este tipo». Sobre la presentación de las candidatas, dice: «Había la rei-

9 Idem.

na del Yamor, mestiza, y la Sarañusta, indígena. Ante este tipo de agresión, en Otavalo un fuerte movimiento cultural, coordinado con la organización provincial, exigió del municipio que no se hiciera la Sarañusta, ni que se obligue a las comunidades a desfilar». Añadió que la participación indígena ese año tuvo «un carácter político, que nace con el cuestionamiento a la fiesta, como una alternativa a esa agresión. Se organizan encuentros culturales, convocatorias a las comunidades para que cada una aporte con un número de música, danza, convivencia comunitaria, deporte o discursos de reivindicación y afirmación de la identidad.»[10]

La fe, en Dios, en algo, puesta de relieve en tales ocasiones, en una confusa mezcla de solaz y sacrificio, de angustia y alegría, como confusas son sus motivaciones: gratitud por favores recibidos y hasta milagros, ruego por una vida mejor aquí o en el otro mundo. Porque la Navidad, fecha que debería ser de regocijo religioso por excelencia, se ha convertido en fiesta familiar de las clases media y alta, con profusión de gasto en comidas y bebidas, apogeo del consumismo con regalos a chicos y grandes, razón de existir, como en el mundo entero, de muchos establecimientos comerciales.

O sea que, en Ecuador, la fiesta rara vez es

10 «Yamor, una fiesta milenaria», *HOY*, 15 de septiembre de 1997.

percibida como una actividad lúdica, rito paga-
no y voluntario sin sujeción a un ordenamiento
institucional: el mejor ejemplo de ello me parece el carnaval, pese a su remoto origen religioso
relacionado con la purificación. Ni siquiera
cuando es, en verdad, una fiesta popular, como
en Guaranda —y sus célebres coplas pretenden
ser una excepción en el ámbito de la tristeza
cantada—, nada hay en ella que recuerde, como
afirmación orgullosa de una raza, al de Río de
Janeiro o de Bahía, ni al de Santiago de Cuba o
de Oruro. Se trata, aquí, de un placer equívoco,
cauce reconocible de la agresividad, cometida
con premeditación y alevosía, contra el despre-
venido, más aún cuando el juego se anticipa algunas semanas a los días que preceden al Miércoles de Ceniza: arrojar agua —hay lugares donde sirve también el agua sucia de los charcos
formados por la lluvia— o harina y hasta huevos
al que pasa por una puerta o bajo una ventana.
Y las primeras víctimas son las muchachas a la
salida de clases o de la oficina, a quienes se les
lanza globos de goma llenos de agua. (Es verdad
que antes, en su lugar, se lanzaban «cascarones»
de cera que podían causar heridas, pero, en
compensación, era elegante lanzar chisguetes
de perfume o puñados de talco a las mujeres.)
Cuando se trata de grupos dispuestos a jugar,
preparados para hacerlo —solía haber la «invasión» o «toma de un barrio» por bandas de asal-

tantes armados de agua, con lo cual la agresividad alcanzaba su mejor expresión individual y colectiva— como en un combate amistoso junto a un estanque o un río, recobra su carácter lúdico que llevan al paroxismo sensual el agua, el alcohol, el frotamiento de cuerpos húmedos y puestos de relieve por las ropas adheridas a las formas: surge allí la caricia, al comienzo como un simple y torpe manoseo para el cumplimiento del ritual del juego, casi como al azar, y que puede conducir, a veces, al nocturno acoplamiento. Los esfuerzos, ya abandonados, por la «culturización del carnaval» —verdadera pretensión de suprimir semejante expresión cultural popular—, no sirvieron sino para incitar al juego, como un desafío popular a la autoridad. (Se había logrado, en Quito, sustituirlo por una pobre imitación del carnaval de Niza, con desfile de carros alegóricos y muchachas disfrazadas de balletistas con trajes de papel *crêpe*, a las que se arrojaba, desde los balcones, *confetti* y serpentinas; bastó que el presidente Velasco Ibarra calificara al carnaval de «juego salvaje» para que al día siguiente fueran mucho más numerosos que antes de la «culturización» los que se dedicaron a arrojar agua a los transeúntes.) El de Ambato es una excepción, debido a su nuevo origen: transformado en la Fiesta de las Flores y las Frutas, fue una reacción de decisión, optimismo y esfuerzo —que se mantienen casi como característica de la ciudad— tras la destrucción causada por el terremoto de 1949.

Fiesta popular y, al mismo tiempo, burla y revancha política es la quema del Año Viejo. Del monigote de barba blanca que iba a morir quemado a las doce de la noche del 31 de diciembre, dejando viuda y huérfanos que pedían limosna desde el mediodía, se ha ido pasando, poco a poco, a la representación humorística y caricaturesca de personajes o hechos de la actualidad. Debido a la participación muy ocasional de dirigentes o de partidos políticos, es la manera espontánea de expresarse de grupos urbanos que no tienen otro medio de expresión y condena —las pintadas en las paredes parecen privilegio de los más jóvenes—, y por ello alcaldes o gobernadores serviles han tratado de impedir, sin lograrlo, la alusión política inmisericorde en los escenarios que se levantan en los barrios, o en una avenida céntrica cuando se trata de concursos, antes de convertirlos en una fogata en la que el hombre humilde espera que se consuman sus desgracias y decepciones, su miseria y su nostalgia del país que no tiene ni adivina, a fin de que el año próximo sea diferente, y en la cual la desengañada quema las cartas de un amor que se acabó.

Pueblo con pocas oportunidades para divertirse, en fechas forzosamente fijadas de antemano, cuando la recordación cívica o religiosa se reduce al grupo familiar, con numerosos días feriados en el año —quizás más que en cualquier otro país— y los «puentes» que se establecen entre ellos y el fin de semana... Y, sin embargo: según una encuesta realizada en julio de 1997 por la empresa Market, publicada en *Monitor de la opinión nacional*, «la noticia que más alegría causó», al 10,5% de los entrevistados, por encima de la cuestión territorial, la mejora en los servicios públicos y hasta el combate contra la corrupción, fue la relativa a «vacaciones y fiestas cívicas». Por si no bastaran las que tienen, hay quienes se apropian de otras, ajenas, enteramente extrañas a nosotros. ¿Sabe alguien, de todos cuantos aquí salen a recorrer la ciudad, con alguna máscara ridícula, o con la suya propia que entonces se inventa una alegría triste, qué significa o representa el Halloween, por lo menos para los norteamericanos? ¿Intuyen qué intereses comerciales —que comenzaron con los de la propietaria de una empresa particular— de bares, restaurantes, discotecas, tiendas, almacenes, supermercados los manipulan, en provecho propio, como a bobos? Con pocas ocasiones de divertirse, en la ciudad, el viernes por la noche choferes de taxi y conductores de automóvil dan vueltas, con su novia o su familia, por una avenida; los jóvenes prefieren ir a discotecas, beber, bailar... En el campo, tal vez siguen, fiesta humilde, los requiebros, con pequeños empujones y sonrisas con que los enamorados resbalan a un chaquiñán o una ladera.

En definitiva, la fiesta, oficial o privada, obligatoria o espontánea, urbana o campestre, rica o pobre, con frecuencia se reduce a la cocina: es el día del plato especial en el hogar humilde, o ritual, cualesquiera que sean sus posibilidades, como la fanesca, la colada morada, los pristiños o los buñuelos: la fiesta como símbolo de unión en torno a una mesa. Y, dentro y fuera del hogar, se resuelve en el alcohol. Según la clase social, varían las apreciaciones y los calificativos para condenar o justificar la embriaguez: demostración generosa de amistad o embrutecimiento, necesidad de un descanso o vicio, liberación del dolor acumulado o única diversión de los pobres junto con la de hacer hijos... (Hablando de la «cultura alcohólica», Miguel Ángel Asturias, quien conocía algunos países de Africa y Asia, muchos de Europa y los de América Latina, decía que se la encuentra en todas partes, pero en ninguna como en Ecuador: «Allí beben, dijo una vez, como si al día siguiente no fuera a haber...» «¿Más trago?», dije, tratando de completar la frase. «No, dijo, como si no fuera a haber más días.» Lo que vendría a confirmar, desde otra perspectiva, mi observación acerca de la anulación del futuro entre los ecuatorianos.) Contra lo que suele creerse, la borrachera no cambia el modo de ser, no suprime al sobrio para sustituirlo por el ebrio, sino que pone de relieve, subraya, exalta —aflojados y hasta rotos los frenos del comportamiento aprendido o impuesto— lo que somos. Cordiales: en la noche del 5 de diciembre, en las calles de Quito el alcohol borra las fronteras de clase, la amistad se improvisa sin límites, el chofer brinda con el peatón, éste con el policía y el empleador con el obrero... Finos para el humor: más sutil y constante entre los «tristes» de la Sierra —el de Cuenca y Loja, a más de la célebre «sal quiteña»—, como una compensación de la realidad o modo de salvarnos, reímos y hacemos reír, olvidando el día de ayer y sin pensar en el día siguiente. Y sin pensar en los demás: si alguien observa al anfitrión de la fiesta ruidosa que, a semejante hora de la noche, puede fastidiar a los vecinos, dirá: «¡Que se jodan». (Igual actitud se observa cada vez que «el otro» o «los otros» tratan de reclamar su derecho a vivir en sociedad.) Pese a ello, generosos, más la mujer que el varón; sin embargo, no me tocó comprobar nunca lo que el norteamericano Ludwig Bemelmans escribió en *The Donkey Inside* («El burro por dentro», título no muy generoso como retrato): que aquí es imposible decirle a uno que su camisa es hermosa sin que se la saque en el acto para regalarla. Violentos: nadie sabe jamás qué palabra o gesto inofensivo va a atraer el puñetazo, el disparo o la cuchillada. El pobre de afectos, con dos tragos se atreverá a declarar su amor a la vecina o, dudando de la amistad, desconfiando de todo, abrazado a su «cuate», a su «pana», a su «carnal», a su «ñaño», le preguntará diez veces si, en realidad, es su amigo. El miserable sexual violará a la primera mujer que encuentre cerca, aun cuando fuera su hija adoptiva. Y cantamos: incluidos los que no tenemos voz, los que no sabemos cantar, los que somos incapaces de cantar sin haber bebido. Y entre el alcohol y el pasillo, entre el recuerdo y la desesperanza y la maldita «mala suerte» de la que somos siempre víctimas, pese a ser «muy hombres» no ocultamos las lágrimas. Descripción y no chiste es la que alguien hacía de la fiesta de la víspera: «Pasamos lindo. ¡Lloraaamos!».

Es verdad que, comparadas con las de otros países, nuestras fiestas son apagadas: no estallamos en la alegría que debe caracterizar a todo jolgorio, y nos retenemos por timidez. Pero en la fiesta del alcohol, en la que no buscamos ni hallamos el vértigo dionisiaco, hay cierto «desmadre» individual, como si cada uno de nosotros llevara dentro la gana de entregarnos a él en espera de un desmadre colectivo. Parecería que, de pronto, fatigados de mantener la compostura, encontráramos en la embriaguez la justificación del mal proceder, pasando de una resignación enfermiza a la violencia, de la reserva a la mentira, o de la franqueza a la grosería: entonces la fina «sal quiteña» es reemplazada por la ordinariez, el humor por la «broma ambateña», el piropo —que tradicionalmente ha sido entre nosotros ejemplo de ingenio y galantería— por la procacidad, y la cortesía con la mujer, más extremada y habitual en la gente humilde, se convierte de pronto en agresividad. (Más serio me parece el hecho de que semejante comportamiento puede darse sin necesidad del alcohol, por otro tipo de estimulante: la embriaguez de poder que parecen experimentar quienes están al volante de un vehículo, por ejemplo. En principio, y siguiendo el clásico comportamiento nacional, es siempre el otro quien maneja mal, es siempre el otro el culpable de cualquier infracción aunque sea yo quien la cometa, y mientras más culpable me sienta, más instantáneo brotará el insulto o el gesto obsceno, rápido y cobarde al amparo de la velocidad.)

Hasta la velación de muertos toma aires de fiesta, debido al alcohol y a la amistad: en Esmeraldas se cantan con esa oportunidad «alabados», «arrullos» y «chigualos»; los tsáchilas llaman «guagua velorio» a la velación, aunque se trate de adultos; en la provincia de Cañar se jugaba a una suerte de perinola llamada huairo... En medio del dolor que nos abruma por la pérdida de un ser querido, tras los arreglos inmediatos con las autoridades y la agencia de pompas fúnebres es preciso pensar en los vivos, proveerse por lo menos de café y licor para toda la noche, brindarlos como muestra de gratitud a quienes vienen a acompañarnos con su pésame. Aunque no falta, en tal ocasión, el filósofo de cantina que, con el generoso afán de consolarnos repite viejas sentencias o reflexiones del tipo de «No somos nada» o «La vida no vale nada» (me ha asombrado verla, más de una vez, pintada en uno de esos autobuses cuyos conductores parecen empeñados en demostrarnos su verdad), no se trata, en el velorio ecuatoriano, de un menosprecio de la vida, a la que parecen aferrarse por instinto, casi físicamente, por lo menos esa noche, los que quedan, sino de una conjunción del sentido de la hospitalidad con la exaltación de la muerte: es un hecho único, por mucho que se repita, una ocasión singular. Hay que despedir al difunto, con el llanto que antaño arrancaba, y aún hoy en algunas clases sociales, a las madres y abuelas la partida del hijo al extranjero, presintiendo que no iba a volver: eran la supresión y el olvido, exactamente como va a suceder ahora, dentro de unas horas. Pese a la concepción indígena del tiempo circular y a la cristiana de la vida eterna y la resurrección, para nosotros la muerte es el punto final del relato vivido: lo demás es la nada. Ni siquiera los deudos más devotos creen, en ese momento, en el más allá donde volverán a encontrarse con el que acaba de morir, en el supuesto de que vayan al mismo cielo... Y hay fiestas de despedida, de alegría amarga antes de la separación, en las que se atiende al amigo, al recién llegado, al conocido solidario. Sea como conjuro contra el acabamiento, como aflojamiento de la tensión producida por el dolor, como señal de alegría por la compañía oportuna, el velatorio de difuntos suele ser todavía oportunidad para hacer bromas y contar chistes, para reír incluso de la muerte, mientras haya tiempo, o mientras podamos hacerlo aguijoneados por el alcohol. Y beber ha sido siempre una ceremonia a la que no escapa el rito católico. El protestante tampoco: es de rigor que los deudos se reúnan, después del entierro del difunto, a almorzar o a tomar té y, como es obvio, vino. En Ecuador también, si no ha habido velorio, buscamos en la reunión de amigos la conclusión lógica del viaje al camposanto: «Aquí me quedo» se llamaba una de las cantinas más célebres junto a la puerta misma del cementerio de San Diego, en Quito. Las modernas salas de velación —donde la austeridad de la transacción comercial ha sustituido al barroco de la muerte y el llanto, y en las que una muchacha maquilla ya al cadáver ¿para que vaya «arreglado» al otro mundo o para que sus deudos lo recuerden «mejor» de lo que fue en vida?— van desterrando, en las clases más acomodadas de la ciudad, esa fiesta contradictoria al arrebatar de su hogar al muerto. (Igual sucede, o sucedía, en el campo, en Chile, pero ese alejamiento tiene otro sentido: la muerte de un niño es algo como una fiesta que se llora con trago, los vecinos piden velarlo, por turno, en su casa, y el «angelito» pasa de mano en mano, de familia en familia, como no había sucedido mientras vivía, menos aún cuando era huérfano.)

Dejando la muerte de lado, esa suerte de dolor esencial que parecemos arrastrar debe tener una causa: no la intuimos, no nos cuestionamos sobre ella, como si tampoco quisiéramos saberla. Nos lamentamos, eso sí, a cada instante. Una canción popular, pese a referirse exclusivamente a una pena de amor, resume una actitud generalizada, nacional: «por tu culpa y por mi mala suerte.»[11] La culpa de lo que nos sucede la tiene siempre alguien: el presidente, el director, el árbitro, mi general, la dueña de casa, el mecánico..., y nosotros, como subalternos sin criterio sujetos a la «obediencia debida», no reconocemos responsabilidad alguna en la administración de nuestra mala suerte. (Y mis reflexiones sobre la historia para tratar de entender nuestro comportamiento, que habría sido forjado por ella, ¿no participan también de ese afán de encontrar una excusa o un culpable, algo similar a la «voluntad de Dios» de los creyentes antes de que la Iglesia hubiera tenido que recurrir al «li-

---

11 Primer verso del pasillo *Adiós (Despedida)*, letra y música de Carlos Solís Morán.

bre arbitrio» para explicar asuntos que no cabía imputar a Su voluntad?) Más elocuente aún es otro pasillo: «no sé si cambiará la triste realidad/ o cambiará la triste realidad de mi pena.»[12] Se trata, entonces, de una pena autónoma, que existe por sí misma, que constituye mi realidad, la mía, propia, independiente de la realidad que puede o no cambiar sin que la otra cambie.

(Puedo equivocarme, por no conocer de modo suficiente los círculos de trabajadores y obreros, pero la huelga, que en todas partes me había parecido una expresión del sentimiento lúdico colectivo —rebelión contra la autoridad, asueto inesperado, comidas y bebidas consumidas en grupo, paseos, juegos...—, se ha vuelto, quizás por su frecuencia, monótona, y cobra entre nosotros caracteres de tristeza: no sé si por la posible pérdida de un salario ya de por sí insuficiente, o por la repetición de un discurso que, precisamente por repetitivo, ha dejado de ser revolucionario, cuando no por la represión a cargo de las fuerzas del orden, igualmente tristes.)

Iba a abstenerme de hablar de esa fiesta popular que es el deporte —en especial, el fútbol—, pensando en lo que tiene de aleatorio o de azar en su desenlace, pero recordé que la cornada final al matador no anula el entusiasmo ni el es-

12 Pasillo *Interrogación*, letra y música de Ángel Rafael Rivadeneira Pérez.

plendor de la corrida. En el estadio hay un resumen del país: en los graderíos están todas las clases sociales —la única que faltaba, la oligarquía, se incorpora a medias, en suites de impúdica insolencia, para no mezclarse con la plebe—, casi todos los grupos étnicos, todas las identidades fundidas o disminuidas en el «yo» colectivo. Porque, en cuanto al «yo» individual, ¿sería alguien capaz de gritar en un estadio vacío lo que grita en medio de la multitud? ¿No se sentiría ridículo si, al volver, solo, después del partido, a su casa, recordara esas expresiones, entusiastas o destempladas? Y porque en la cancha están los jugadores que, en América Latina y más en nuestro país, han salido del pueblo, del suburbio de las ciudades más olvidadas, de los hogares desde donde no pudieron hacer otra cosa: de modo que llevan con ellos su infancia, su barrio, su educación, su cultura. Y su juego será suma y resumen de todo ello. Eduardo Galeano ha dicho que pocas cosas ocurren en América Latina que no tengan relación, directa o indirecta, con el fútbol, y da dos ejemplos recientes y extremos: «En abril de 1997, cayeron acribillados los guerrilleros que ocupaban la embajada de Japón en Lima. Cuando los comandos irrumpieron, y en un relámpago ejecutaron su espectacular carnicería, los guerrilleros estaban jugando fútbol. El jefe, Néstor Cerpa Cartolini, murió vistiendo los colores del Alianza, el club de sus amores. Al mismo tiempo, en la ciudad de Montevideo, el municipio ofreció 150 empleos para la recolección de basura. Se presentaron 26.748 jóvenes. Para recibir a semejante multitud, no hubo más remedio que realizar el sorteo en el mayor estadio de fútbol, el Estadio Centenario, donde Uruguay había ganado, en 1930, el primer campeonato del mundo. Un gentío de desempleados ocupó el escenario de aquella histórica alegría. En vez de marcar goles, el tablero electrónico señalaba los números de los escasos jóvenes que encontraron trabajo.»[13]

Entre nosotros, el comportamiento del público, incluyendo a los hinchas, es también igual al del país. Francisco Maturana, quien fue Director Técnico de la Selección Nacional de Ecuador, ha dicho cosas muy útiles para los ecuatorianos, y que van mucho más allá del fútbol. Por ejemplo, que una derrota o un éxito deben durar apenas 24 horas y que «no hay que morirse antes de que llegue la muerte»; por ejemplo, que «nuestros pueblos están cansados de la falta de mecanismos de identidad con instituciones como los partidos políticos o la religión» y que están esperando «algo o a alguien que les diga "no te voy a fallar", y ese puede ser el fútbol»; por

---

13 De una charla dictada en Quito, en el Salón de la Ciudad, el 11 de agosto de 1997. Al tratarse del fenómeno por el cual hay quienes cambian fácilmente de partido político mientras que se considera imperdonable el cambio de equipo, alguien del público confesó que, «como buen ecuatoriano», seguía siendo hincha de un equipo que perdía siempre.

ejemplo, que aquí «es un deporte apuntarle al que va adelante»[14]. Pero nosotros pasamos de ser «mucho lote» el día en que la Selección gana un partido o nuestro candidato una elección, a un desánimo que nos dura cuatro años, hasta las nuevas eliminatorias para el Mundial o las nuevas elecciones presidenciales. (Contrasta con nuestra actitud, por citar otra vez a Galeano, la del público de Montevideo: cuatrocientas mil personas salieron a la calle a «celebrar» la derrota sufrida por su equipo juvenil en el partido final de la Sub 20, pues los muchachos habían hecho un juego magnífico.) Y aunque sabido es que la culpa la tienen el Director Técnico, el árbitro, los jugadores e inclusive el equipo contrario, la derrota nos convence, puesto que tenemos predilección por las definiciones definitivas, de que estamos condenados al fracaso, con una resignación pasiva, inculcada por la Iglesia primero a los indios, luego a todos (lo cual servía para frenar la rebelión contra los conquistadores) y que se ha convertido en algo como el «estado natural» del ecuatoriano, en penitencia por ese otro estado natural del cristiano que es la culpa. Quizás porque queremos confiar en la casualidad —ya ni siquiera en la suerte, que se le parece: vivimos con el «síndrome del jueves», cuando cada semana comprobamos que esta

---

14 Francisco Maturana: *¿Qué le pasa al fútbol ecuatoriano?*, Quito, El Comercio, 1997.

vez tampoco nos sacamos la lotería que jugó la víspera—, exigiendo únicamente en los demás el esfuerzo diario, del que los hacemos responsables. Porque, en cuanto a la sociedad, ¿qué parte de responsabilidad tiene, indirectamente, en el estado físico, formación y mantenimiento de los jóvenes que salen de los suburbios de las ciudades para integrar la Selección Nacional de Fútbol? Y sin que nos importe preguntarnos, ni respondernos, qué hicimos por nuestros jugadores, aparte de convertirlos en ídolos luego de haber ganado un partido y «puesto el nombre del país en alto», se los apedrea cuando pierden otro. A fines de 1998 comenzó a hablarse, con insistencia, de la «necesidad de imprimir personalidad ecuatoriana a nuestro fútbol», como si no la tuviera, como si fuera cuestión de decidirlo, de pronto, y hacerlo, como si el desorden, el descuido, la falta de disciplina, el desaliento, la improvisación, que son características de nuestros equipos, no fueran algunas de nuestras señas particulares. Otras, muy distintas, resume el fútbol del Brasil: por ejemplo, su formación étnica y cultural —el orgullo de su raza, de su cultura y de su país—, su mestizaje asumido, su propia concepción del ser humano. Por todo ello nos representa a los latinoamericanos en el mundo. En un programa de televisión, la víspera del último partido del Mundial de 1994, me preguntaron quién creía que ganaría, dije que

Brasil; cuando me preguntaron quién quería que ganara, dije Brasil; cuando me preguntaron por qué, dije: Porque siempre quiero que gane Brasil, es un poco como si ganáramos nosotros, tal vez porque nos faltan sus atributos populares nacionales. (Estamos muy lejos, por la geografía y la cultura, del Japón para aprender de él, pero allá a los luchadores de sumo se los alimenta y cuida física y mentalmente desde los cuatro años y a una edad muy poco mayor que ésa comienzan los músicos, actores y bailarines: en ello intervienen, en torno a una política educativa, la familia y la sociedad, aunque cabe advertir en ese comportamiento una imposición colectiva, una violación de la independencia y el albedrío individuales.)

Quiero decir que nuestras mayores victorias deportivas no son del país sino de individuos que pudieron alcanzar su formación profesional pese a la falta de una política deportiva y de preocupación de la sociedad: Rolando Vera con sus éxitos sucesivos, Andrés Gómez ganando el Torneo Internacional de Tenis Roland Garros, Jefferson Pérez obteniendo para Ecuador la primera medalla olímpica de su historia y muchas otras victorias, Galo Yépez venciéndose a sí mismo en su desafío de cruzar el Canal de la Mancha, Marta Fierro clasificándose como Maestra Internacional de Ajedrez, Marta Tenorio victoriosa en la carrera de San Silvestre en São Paulo, Nicolás Lapentti llegando a semifinales en el torneo de Melbourne, Iván Vallejo ascendiendo a la cumbre del Everest. Y, como milagro no repetido desde la época dorada del «negro Spencer», Alex Aguinaga juega en México y Kaviedes en Italia... Y hay otros.

Ahora bien: la verdadera fiesta, la insuperable, multitudinaria, gozosa, con una intensidad de la alegría que ningún individuo aislado puede imaginar o esperar, ha sido la rebelión civil contra un gobierno abominable, júbilo colectivo del que cité dos ejemplos en el siglo que termina: mayo de 1944, contra Arroyo del Río, y febrero de 1997, contra Abdalá Bucaram. En ambos casos —un gobierno despótico y culpable ante la conciencia nacional del descalabro fronterizo de 1941 y del Protocolo de Rio de Janeiro de 1942, y un régimen de vergüenza, con payasos y ladrones que en cinco meses arruinaron la economía y el prestigio del país— fue un castigo al gobernante infame pero, más que eso, el rechazo a dos símbolos de la corrupción política. De ahí que los sucesivos derrocamientos de Velasco Ibarra, aunque acogidos con cierta satisfacción —y los que no se alegraron, ¿sabían que tarde o temprano volvería?—, no constituyeron una fiesta popular: se fraguaron en los cuarteles. El rechazo a Bucaram fue comparable a Mayo del 68 en París, de duración mucho menor y de proporciones comparativamente mayores: todos los

grupos y clases sociales estuvieron representados, mejor que en un estadio, o en un estadio de
las dimensiones del país entero, puesto que participaron señoras con pantalones de seda y teléfono celular, viejecitos de clase media en silla de
ruedas, las muchachas más bellas de la ciudad e
indígenas del campo. Toda una juventud, para
quien la historia y la política, por primera vez,
sucedían en la calle y de las cuales ellos eran actores por intuición, ya que carecían de referentes inmediatos de rebelión. Fue cuando dejamos
de ser ese «pueblo muchacho» de que hablaba
Benjamín Carrión, porque ya habíamos perdido
la inocencia y supimos de cuánto somos capaces: más de dos millones de personas poniendo
en fuga a un gobierno indignante y desprecia-
ble, en un movimiento de masas en el que no
hubo ni un solo herido, ni un solo local asaltado,
ni un solo vehículo volcado, ni un solo vidrio roto... (Fue fiesta, también, por otra razón: José
Sánchez Parga afirma con acierto que «el pueblo
no existe sociopolíticamente más que en la movilización continua, en un estado de "revolución
permanente", y siempre más "reactivo" que
"proactivo" según la nomenclatura de Alain
Touraine...»[15] Y nuestra actitud nacional no es
una de «movilización continua», menos aún de
«revolución permanente»: se asemeja más a una

15 «La construcción y desconstrucción de ciudadanías en América Latina: el caso de Ecuador», en *Identidad y ciudadanía*,
Quito, feuce-ades-aeda, 1996.

de tolerancia, popularmente considerada como «aguante». Entonces, la alteración de un estado habitual, de una rutina política, y el alejamiento del monótono modo de ser colectivo aportan el elemento básico de ruptura para la celebración de la fiesta en la que el hecho de *divertirse*, trae aparejada la noción de *divertir*, o sea apartar, desviar, alejar.)

DE LA «VIVEZA CRIOLLA»

Toda indagación acerca de los rasgos que caracterizan nuestro comportamiento obtendrá como respuesta, entre cualesquiera otros, inevitablemente, la pereza, el incumplimiento, la improvisación y la «viveza criolla».

No es justo considerar la pereza como privativa de los ecuatorianos, ni siquiera de los latinoamericanos: en el mundo entero se la ubica vagamente en «el Sur», y se la considera más como un factor biológico que cultural, y, con cierta generosidad, se la atribuye también al calor de los trópicos: la imagen más difundida de México en el extranjero es la del indio, aplastado por un gran sombrero, durmiendo sentado junto a un maguey o una puerta; en Europa se supone que es patrimonio de los pueblos latinos, excluyendo de ellos a Francia pero incluyendo a Italia: ¿no era personaje típico del neorrealismo cinematográfico italiano el joven adulto que pasa el día en la cama, habitualmente con la frente vendada para significar dolor de cabeza, y se levanta únicamente a comer? ¿No es típico de ello, aunque sea injusto, el dicho de «Hombre

que trabaja pierde su tiempo precioso», atribuido a los españoles? Creo que ese prestigio corresponde, en general, a quienes no somos alemanes, suecos o japoneses —estos últimos no tenían, hasta hace algunos años, vacaciones obligatorias— y que, según la consabida exageración,
seríamos los únicos que hacemos siesta y
dejamos todo para «mañana», palabra demasiado utilizada en la lengua española por cualquier
funcionario de última categoría y preferentemente por la secretaria de alguien: al inoportuno que se presenta de improviso, «vuelva mañana», le dice, lo que recuerda la época en que
— porque la población del país equivalía a la de
una gran ciudad de hoy día, o porque su situación económica permitía vivir, o porque aún
eran rentables las actividades agrícolas— los
mendigos solían pedir caridad una vez por semana y a los apresurados o desprevenidos se les
decía «vuelva el sábado», y por los artesanos a
quienes se encomendó la reparación de algo, y
por el deudor de dinero, y por el oscuro sujeto
que debe poner una firma o un sello: se trata,
entonces, de un desafío a la tenacidad, no solo a
la paciencia, a la tozudez, no solo al capricho, a
la testarudez, no solo al derecho, para saber
quién aguanta más tiempo, como una justa de la
cual uno de los dos saldría victorioso. (Y, por lo
general, tú, el individuo común, el que tiene
cierto respeto de sí mismo, sales perdiendo pre-

cisamente por eso: no puedes aguantar tanto, tanto aguantar denigra.) Y una actitud más acentuadamente racista, incluso en nuestros países pluriétnicos, y que tiene algo que ver con la paja y la viga en el ojo, hace que atribuyamos la pereza en especial a los negros y la vagancia a los indios y a los cholos.

El incumplimiento, referido concretamente a la realización de un trabajo, puede ser privilegio de los latinoamericanos y, por ende, también de nosotros: no sé de nadie que, aquí, no haya debido ir tres y cuatro veces, o más, a reclamar un documento o un acto oficial, incluso cuando deben viajar de una provincia a una oficina de Quito —¿no pasan los rectores de universidades la mayor parte de su tiempo en gestionar que el Ministerio de Finanzas les entregue los fondos que necesitan para «formar a los hombres del mañana»?—, sobre todo si se ha negado al cohecho taimado o descarado del funcionario; o la reparación encomendada a un artesano, se trate de ropa o de automóviles, de zapatos o de aparatos domésticos. (En este ámbito mi radiotécnico resultó ejemplar: me anunciaba, cada viernes, que me entregaría reparado un radiorreceptor «el lunes a las tres de la tarde» y, el martes, «el viernes a la una y media», lo que me obligaba a esperarlo, gracias a lo cual avancé mucho en un libro, puesto que la expectativa duró dieciocho meses, al cabo de los cuales me lo devolvió tal como se lo había entregado, excepto la antena y el asa que se habían roto «durante la reparación».) Cabe incluir también, emparentada con la informalidad, la puntualidad adecuada de la «hora ecuatoriana», pero debe recordarse, en nuestro descargo, que hay una hora venezolana y una cubana, a más de otras parecidas, lo que podría ser consecuencia de la pereza y del incumplimiento a la vez. Pero, pese a cierta ociosidad mental y física que impide ver y hacer debidamente las cosas, en compensación tendríamos que recordar la habilidad de nuestros artesanos, su iniciativa para subsanar daños y averías y su capacidad de invención para fabricar piezas y repuestos que no siempre se encuentran en el mercado.

Y si la pereza lleva a esforzarse menos, a rehuir el esfuerzo y el sacrificio, a conformarse con poco, a no exigirse a sí mismo mucho o nada, establecemos, así —como decía monseñor Alberto Luna Tobar, en el lanzamiento del presente libro en Quito—, «una medición bajo cero, sin llegar siquiera a la unidad», en virtud de la cual lo que aquí se supone «grande» apenas es mediano en otras partes y lo «mediano» aquí allá es minúsculo. ¿No son ejemplo de ello algunos aficionados a la literatura, supuestamente dotados de un don por el cual pretenden ser escritores de la noche a la mañana y no principiantes conscientes de que tienen un largo y doloroso camino de trabajo por delante, los dramaturgos y actores *amateurs* y, para comenzar y hacerlo posible, el público mismo que solía decir: «Para ser ecuatoriano no está mal», como decían: «No está mal para ser de una mujer»? Por otra parte, el incumplimiento, que deja ver por sus hendeduras una ausencia total de respeto al otro, al tiempo del otro, a las necesidades del otro, y la deshonestidad también, hacen que, con excepciones que hay y quisiera conocer, nadie considere su cargo como un puesto de servicio a los demás, pagado para ello, pero también capacitado para desempeñarlo. Es verdad que, en la desesperación por sobrevivir, uno está dispuesto a hacer cualquier trabajo, a condición de saber cómo hacerlo: hay contadoras que se encuentran, temporalmente, como «colaboradoras del hogar» —son, en lenguaje *politically correct*, empleadas domésticas, término que el feminismo militante encontró, de pronto, despectivo—, economistas graduados que se dedican a la venta de puerta en puerta, estudiantes que hacen de taxistas. Pero hay quienes de allí resbalan fácilmente a la irresponsabilidad: precisamente, a veces, ese chofer, por ejemplo. O empleados inútiles del servicio de calles y alcantarillado y hasta «especialistas» en cirugía estética o en ginecología, a alguno de los cuales se le muere la bella que quería ser más bella o la que no quería tener un hijo... ¿No hemos visto sucederse, en un mismo régimen, a diversos ministros de Energía, con diversa concepción de la «política energética del gobierno», alguno de los cuales confesó, honesta pero impúdicamente, «no saber nada de petróleo»? (Yo fui testigo de una conversación, de la que he hecho una caricatura a fin de resaltar ese aspecto del «modo de ser» ecuatoriano: alguien se presentó, hace años, al Ministerio de Educación que había publicado un aviso con miras a contratar un Asesor Jurídico. El ministro explicó al aspirante que ese puesto ya había sido llenado, y que en ese momento necesitaba, más bien, un Dentista Escolar. «Entonces, yo, pues», se propuso el jurista. Y, lejos de cualquier exageración, el cinco por ciento de quienes presentaron su candidatura para la designación de magistrados de la Corte Suprema no tenían siquiera título de doctor en Derecho.) Es ya costumbre que se agrava distribuir cargos con un criterio de clientelismo político o de nepotismo doméstico, entre vagos, «pipones», palanqueadores, porque se trata de un correligionario que «trabajó en la campaña», o del hijo de un cacique, o de un amigo al que se le deben servicios, o de un pariente, o de un «recomendado» —hay tantos puestos para ellos en las aduanas que vinieron a reemplazar, como «fuente de trabajo», a los oscuramente célebres Estancos de antes—, sin que importen las consecuencias que semejante proceder tiene en la vida pública.

En el primer peldaño de la improvisación están esos maestros de escuela sin título docente, que jamás se prepararon para serlo, que no siempre llegaron al bachillerato[1] —¿no escribió uno de ellos una carta abierta al ministro de Educación pidiendo que se prohibiera la circulación de la *Enciclopedia Planeta* en el Ecuador por la «afrenta e ignorancia» que supone haber señalado que Cuenca es una ciudad de España?— y a quienes sería ilusorio encomendar una educación fundada, como lo quería Vasconcelos, en «la lengua, la sangre, el pueblo». En los demás peldaños, incontables, se encuentran casi todos los que tienen algún cargo, público o privado, obtenido por «influencias», «padrinos», «palancas» y no por mérito. Y porque la improvisación raya en la irresponsabilidad, se originan allí la falta de confianza en las instituciones, el desprestigio creciente de todas ellas, al que escapan, en algunas encuestas, la Iglesia y las Fuerzas Armadas: allá conducen los nombramientos, incluso los que se hacen por elección directa, como el de diputados (a quienes se juntarán los asesores, de similar mentalidad provinciana o aldeana, que ellos buscan y el Estado paga) o de concejales y consejeros, y la designa-

---

1 No cabe extrañarse de que en unas pruebas de rendimiento académico en matemáticas y lenguaje los escolares ecuatorianos tuvieron los promedios más bajos, mientras la repetición de año y la deserción escolar alcanzaron niveles inquietantes. *HOY*, 26 de abril de 1999.

ción de gobernadores, autoridades de policía, jueces. Y, tal como sucede con el soborno, la irresponsabilidad es culpa de ambas partes. De modo que, al hablar de los linchamientos que con extendida frecuencia se producen en el campo, casi siempre por delitos, supuestos o comprobados, de abigeato, la infracción es de esos infelices, que nunca oyeron hablar de la ley de Lynch, pero su origen, cercano, está en la ineficacia o corrupción del agente de policía, del comisario, del abogado, del juez, de la que son víctima y testigos. Culpa y origen similares, mezclados con actitudes de «macho» y hasta de «viveza», me pareció hallar, más de una vez, en Manabí —cuando parecía o era «un Estado dentro del Estado»—, en el comportamiento de quien no cree en el Código ni en la justicia, ni en la rehabilitación del delincuente y, acompañado de sus amigos justicieros, asalta la cárcel, saca de ella solo al que violó a su hermana y se lo lleva para estar seguro de que recibió su merecido.

Universalmente, por un axioma legal, mi derecho termina donde comienza el de los demás. Aquí, por un escamoteo tácito, compartido, generalizado, el derecho de los demás termina donde quiero hacer que comience el mío. Entonces, ocurre que mi derecho no tiene límites.

Como en el caso del tímido que, gracias a la acción liberadora del alcohol, pierde su temor y cruza de allí hasta el atrevimiento, parecería que la única forma de superar el sentimiento generalizado de inferioridad es pasar al otro extremo: el de una curiosa superioridad que se arroga cada uno, sin razón ni fundamento, y que supuestamente autoriza la agresión para ejercer el desconocimiento del derecho ajeno. Son actos y gestos de todos los días, tan habituales que a veces ni siquiera suscitan protesta, porque, ejecutados como compensación del resentimiento de quien no se admite como es, chocan con la indolencia y la tolerancia de quien tampoco ejerce su derecho: así, el ofendido se convierte nuevamente en cómplice. Son, para quien los comete, actos justificados por un *status* social, innato o adquirido: hablando francamente, por su color o su dinero, contra el que «aguanta» o el que «no se atreve». El engaño, la «sapada» o picardía cometida como viveza, raya en la cobardía cuando se ejerce contra el débil: niño, mujer, indio, subalterno, negro, extranjero, o sea los que, en cierto modo, «viven aparte». Y, llegados a la picardía, son iguales los individuos y el Estado, sin que nada tengan que ver en ello la clase social, la necesidad, ni las circunstancias «imponderables». ¿Característica ecuatoriana? Seguramente no, pero también ecuatoriana.

Si la «viveza criolla» es típica de Ecuador no se debe al adjetivo, con lo que, supongo, se quiere diferenciarla de la de otros lugares, sino por-

que el primer signo de «viveza» es llamar así a lo
que no es sino picardía. El diccionario trae las siguientes acepciones que definen exactamente lo
que es: «picardía. (De pícaro). f. Acción baja,
ruindad, vileza, engaño o maldad.2 Bellaquería,
astucia o disimulo en decir una cosa. 3. Travesu-
ra de muchachos, chasco o burla inocente. 4. Intención o acción deshonesta o impúdica. [...]».
Pero lo que nosotros llamamos así es la bellaquería o picardía, tratando, criollamente, de sugerir
«viveza. (De vivo, pronto, ágil). f. Prontitud o ce-
leridad en las acciones, o agilidad en la ejecución. 2. Ardimiento o energía en las palabras. 3.
Agudeza o perspicacia de ingenio. 4. Dicho agu-
do, pronto o ingenioso. 5. Propiedad y semejanza en la reproducción de algo. 6. Esplendor y
lustre de algunas cosas, especialmente de los colores. 7. Gracia particular y actividad especial
que suelen tener los ojos en el modo de mirar o
de moverse.» Por lo cual sería sinónimo únicamente en la acepción 8: «Acción poco considerada.» (Más claras que las definiciones abstrac-
tas son las imágenes visibles: viveza es la del ju-
gador de fútbol que aprovecha inteligentemen-
te, en un segundo, todos los factores para marcar un tanto, mientras que hay picardía en
echarle una zancadilla, confiando en que el árbitro no la sancione.)

Dos me parecen ser las características que
vuelven «criolla», típica nuestra, la picardía: su

universalidad y su abolición del futuro. Universal porque es individual, colectiva y hasta institucional: si tras cada accidente de tránsito que se saldó con la muerte de numerosas personas, excepto la suya, «el chofer se dio a la fuga» —puesto que el Código Penal dispone sindicación con orden de prisión preventiva en la etapa de investigación del proceso—, por picardía, y por contubernio con otras autoridades, se dan a la fuga el presidente de la República, el vicepresidente, los diputados, los ministros, los inspectores de aduana, los propietarios de empresas inmobiliarias o de construcción de carreteras, edificios, plantas de agua potable, responsables de alguna malversación, estafa o cohecho, sin que se los encuentre ni sancione. Menos mal que, a diferencia de lo que ha sucedido siempre, según la nueva Constitución vigente esos delitos ya no prescriben. La conducta del juez que «actúa según su conciencia» (¿cuánto cuesta su conciencia?) liberando a traficantes de drogas o a asaltantes de bancos, es similar a la del empleado de juzgado cuya diligencia está sujeta a una tarifa establecida; a la del policía de tránsito que inventa una infracción y no puede probarla sino cobrando al conductor (excluyo a ese agente quien, confiando en que el automovilista no tuviera licencia, para multarlo, al comprobar su validez le dijo: «Qué mala suerte: usted con licencia y yo sin desayuno»); a la del empleado o dueño de hotel, restaurante, taxi, barco, almacén o tienda que se aprovecha del desconocimiento que los turistas tienen del país, de la lengua, de los precios en el mercado, para tratar de estafarlos, sin pensar que gracias a esos clientes tienen su puesto y su salario: en fin de cuentas, el prestigio del país en el exterior no es cuestión suya, sino del Ministerio de Turismo, como no lo es tampoco de quien asalta o viola a la extranjera desprevenida[2]. Colectiva, y hasta criminal, la «viveza» de aquellos banqueros que crean «empresas fantasmas» —a veces simplemente con la secretaria y el conserje del abogado que las legaliza—[3], toman del banco «créditos vinculados» que nunca pagan como no pagan tampoco intereses ni impuestos por ellos, y cuando no tienen «liquidez» para devolver a los ahorristas y cuentacorrentistas su dinero así desviado, cierran sus puertas y piden auxilio al Estado porque «la culpa es del gobierno que no atiende debidamente

2 Resulta irónica, por distante, la impresión que Karl Gartelmann, de Düsseldorf, se llevó de la hospitalidad de los ecuatorianos, que tratan a los extranjeros «como verdaderos príncipes, aun cuando ellos no lo merezcan» (citado por Pablo José Mogrovejo: «Cruce de fronteras», *Domingo*, Quito, 5 de julio de 1998).
3 En la asamblea nacional de la Izquierda Democrática, celebrada el 26 de marzo de 1998, el ex presidente Rodrigo Borja informó que su partido posee pruebas documentadas sobre la entrega, por parte del Banco del Progreso, de créditos a más de cien empresas fantasmas, que están a nombre de testaferros y que algunas de ellas tienen un mismo gerente y accionistas y están registradas con idénticas direcciones y teléfonos.

a las provincias.»[4] Colectiva, la «viveza» de aquellas empresas de espectáculos que venden boletos de entrada a un número de personas mayor que el de las que caben en el local, sin importar-

4 Con ocasión del cierre del Banco del Progreso, el 22 de marzo de 1998, sus clientes de Guayaquil, angustiados y esperanzados en recuperar su dinero, emprendieron una marcha de protesta —que encabezó nada menos que el principal responsable del banco, lo que hizo decir a un diario que jamás se había visto a las víctimas llevar en hombros al ladrón—, a la que se juntó la plebe de ciertos partidos populistas, azuzados por algunos dirigentes políticos que, con su vociferación histérica y soez — en el estilo que Abdalá Bucaram pretendía era el de Guayaquil—, reclamaban la «independencia» de la provincia, hablando, cada uno, como es costumbre entre los divisionistas, «en nombre de los doce millones de ecuatorianos», mezclando los problemas causados por la errónea o inmoral gestión bancaria de un individuo con las necesidades reales de esa ciudad, como si alguna vez pudieran coincidir los intereses de la oligarquía con los del pueblo. Se aplaudió la quema de una bandera de Quito y un ex diputado, tratando de rehacer su imagen hace tiempo olvidada, trató de retirar con una pala una de las placas donde figura el nombre «Pichincha» de una calle central del puerto. La oligarquía insolente y el «insolente recadero de la oligarquía» pretendieron fijar un plazo para que el presidente de la República fuera a Guayaquil a hablar con ella el día que ella fijara. El propio alcalde la ciudad, al celebrarse una nueva marcha menos agresiva veinte días después, «cuestionó a los dirigentes empresariales porque, consciente o inconscientemente, le faltaron al respeto al presidente Mahuad, pretendiendo obligarlo a que visitara Guayaquil» (*HOY*, 9 de abril de 1999). El presidente ejecutivo del Banco del Progreso es, al mismo tiempo, propietario de un diario y de un canal de televisión de los más importantes del país, tal como el principal accionista de Filanbanco, también salvado por el gobierno, es propietario de otro canal. Fácil es recordar o imaginar la información que sobre los sucesos de Guayaquil dieron al país esos medios de comunicación, apoyados además por una radiodifusora cuya predilección por la calumnia fue oportunamente denunciada por un presidente de la República. Tal ha sido, hasta hoy, la más grave violación colectiva del derecho de los ciudadanos a la información veraz, consagrado en la Constitución Política vigente.

les el riesgo que ello entraña para el público, con la inevitable consecuencia de heridos y contusos, cuando no de muertos. (He sabido, y me niego a creerlo, que existe incluso una Asociación de Revendedores de Boletos.) O la de aquellas que, con suma «viveza», defraudan al fisco con una doble contabilidad válida para el inspector mal pagado y bien sobornado. O la de quienes conceden diplomas o títulos de profesional a mediocres, cretinos o vagos que pagan o amenazan para obtenerlos. Institucional también, porque picardía criolla, ecuatoriana, para alimentar a correligionarios o parientes, es la exigencia de una partida de nacimiento «actualizada» —debido, en parte, a aquella otra viveza por la cual hay muertos que votan o cobran pensiones—, como si semejante documento pudiera perder vigencia o valor, que se exige, digamos, cuando alguien se acoge a la jubilación. (También es ejemplo acabado de corrupción: conocí más de un caso en el cual el acta «se había perdido» —mentira de bulto, puesto que los nacimientos se inscribían, a mano, en un libro de considerable volumen— y la única solución era hacer una declaración juramentada, en presencia de dos testigos que proporcionaría el funcionario a cambio de una suma que variaba según el apellido y la ropa del solicitante. Mas sucedía que, una vez pagada y llegado el día de la declaración, el acta había «aparecido».) En algo se asemeja al pedido de un «certificado de supervivencia», expedido por un notario o abogado, y que debe presentar anualmente, para el cobro de pensiones, la persona que, antes de semejante diligencia, con su sola presencia demostraba estar viva; ecuatorianísima la aberración de ese permiso militar para salir del país, exigido a todos y no solo a quienes, por alguna razón turbia, tienen orden de «arraigo». (Solía ser válido por 24 horas mas, luego, haciendo uso de una lógica rara en la administración, se extendió su validez a un año. De pronto, alguien decidió que se volvería al sistema antiguo, ampliando el plazo a 72 horas. La primera, y más tonta, explicación de un funcionario de la Dirección de Extranjería, fue la de que «es más fácil falsificar un pasaporte en un año que en 72 horas», lo cual nada tenía que ver con un permiso de salida que se concede previa presentación del pasaporte. Ante el rechazo general de la medida, vino la confesión honesta: «Se trata de obtener más ingresos».) Unica en el mundo es la viveza del servicio de correos que obliga al destinatario a pagar por recibir un paquete postal cuyo porte fue pagado por el remitente; y tan arbitraria es la medida, que la empleada calcula «a ojo» y, según el poder de convicción del interesado, rebaja a su juicio la tasa y, a veces, hasta entrega el paquete sin cobro alguno. Y picardía, hasta degeneración de su finalidad, es la de algún organismo encargado de velar por el Derecho de Autor y que cobra por conceder un «permiso de ejecución pública» de casetes pirateados. (En el otro extremo de esa cobranza por un servicio no prestado se encuentra la invención, más frecuente en las ciudades menores, de hábiles procedimientos para que el medidor de luz no marque el consumo real, o, en Guayaquil, «conectándose» a la corriente de los cables del alumbrado urbano.) ¿Cabe incluir en la estafa, confundida con la «viveza», ese supuesto conflicto de la clase media entre su tendencia natural a la justicia y su necesidad de oportunismo para vivir? Y, ante todo, ¿es, realmente, una tendencia natural? ¿es, realmente, una necesidad?

Carlos Carrión ha elaborado el siguiente muestrario breve de la viveza criolla: «: En un quintal de comino, algunos fabricantes de condimentos, le ponen una arroba de maíz tostado. Los comerciantes, en uno de arvejas, por lo menos media arroba de cascajo. En otro de chuno de bizcochuelos, otro tanto de tierra del camino. En un queso, un tercio de papa o mote molido. En la manteca de cacao de curar fuegos bucales, esperma de hacer velas para la Virgen. En los chocolatines, manteca vegetal. Sin decir nada de que en las pesas de libra, hay huecos secretos de cuatro onzas o media libra. Y de que en el oro de hacer muelas de oro, le ponen bronce de estatua. Por otro lado, hay médicos que realizan operaciones forzadas o ficticias. Obreros de construcción que, apenas se ausenta el dueño de la obra, se meten en los bolsillos el cemento, las varillas de hierro y los ladrillos. Y doctores [...] que venden madera fresca de quemar brujas por duela seca de tumbado. Abogados que se quedan con la finquita que defienden. Hijos que estafan a sus propios padres y los dejan en la calle. Y amigos que piden garantías bancarias millonarias solo para no pagarlas. Todo porque ni en los hogares, las escuelas, los colegios ni en las iglesias nos han puesto una sola lágrima de moral en nuestro corazón. O porque fue una lágrima de cocodrilo, y mientras nos decían una cosa, hacían otra. Y porque nadie piensa sino en el dinero —si mal habido, mejor— como herencia de sus hijos.»[5]

(Pero tú, el valiente al volante, el que tiene listo en la punta de la lengua el insulto cuando se te reclama tu error o tu mal proceder, no protestas, tienes miedo, te has acostumbrado, no exiges, ni en la tienda de abarrotes ni en el ministerio, tus más mínimos derechos de ciudadano mínimo, quizás porque en algún rincón de la conciencia sabes que también procediste así alguna vez. De modo que te falta mucho para que llegues a tener conciencia de la defensa de los Derechos Humanos, menos aún de los Derechos

---

5 Carlos Carrión, "Lo mal habido", *HOY*, 28 de septiembre de 1998.

Económicos, Sociales y Culturales, que pertenecen a la segunda generación. Es Alexis Ponce, de la Asamblea Permanente de Derechos Humanos, quien ha señalado la ausencia de una cultura de la exigibilidad, lo cual, a su juicio, tiene que ver con una «ausencia de ciudadanía» en el Ecuador. «La víctima no tiene nombre, rostro, identidad, palabra... llámese ama de casa, longo chiquito de escuela fiscal, pasajero de bus público, inquilino buscando cuarto, jubilado en ventanilla del IESS, colegiala de plantel nocturno esperando bus a las 10:30 de la noche en "La Marín", negro en actitud sospechosa —no importa la hora—, travesti en planta baja a mano izquierda del CDP [Centro de Detención Provisional], indígena en comisaría, intendencia o juzgado de mestizos, egresado de la Central con su carpeta curricular en agencias privadas de empleo, civil/pobrete detenido para investigaciones, comprador de libra de carne si lleva media de hueso en las tercenas del país o de un litro de leche si lleva pan en las tiendas del país, etc.»[6]

Es frecuente, también, otro tipo de «viveza» que, sin entrañar dolo, mala fe, estafa, cohecho o robo, implica engaño, atropella al otro y actúa como si el mundo, un mundo sin sociedad, sin

6 Alexis Ponce: «La Sinfonía Global en tres movimientos inconclusos», comentario sobre el panel "Nuevas agendas políticas y de Derechos Humanos" del foro "Construyendo una agenda nacional para la promoción de los DESC", Quito, Flacso-CESR, mayo 13 de 1998.

costumbres ni leyes, le perteneciera: hablo del que «repara» un automóvil, supuestamente averiado, en una avenida donde está prohibido estacionar, hasta que el dueño del vehículo o alguien de la familia retire dinero de un distribuidor automático; del que, porque hace copias de llaves o vende una artesanía cualquiera, coloca piedras o burros de madera frente a la puerta de su cuchitril o quiosco para evitar que alguien estacione allí su vehículo; del que «se gana» el sitio donde otro le indica que va a aparcar; del que —entre otras formas de agresión sonora— instala en la acera un altavoz y transmite a todo volumen música o algo que se le parece, porque vende discos y casetes, o en una terraza para atraer clientes, porque tiene un comedero desolado[7]; el que por ser dueño de la pared que da a la calle cree tener derecho a pintar en ella letreros ridículos, sin ortografía, y hasta figuras monstruosas cuando se trata de bares y discotecas; el que conduce a contramano o no respeta las indicaciones del semáforo por ganar unos minutos, para llegar antes al sitio donde no hace, según un visitante extranjero, «nada que no pueda esperar tres meses», y si con ello choca el vehículo que tú manejas te insultará violento,

7 Janice Foster, de Canadá, cuenta que, al día siguiente de su llegada a Quito, fue despertada por el ruido de un megáfono: «Me levanté desesperada y luego supe que solo se trataba de una camioneta que vendía frutas frescas.» (*Domingo*, Quito, 5 de julio de 1998). Desde ese punto de vista, Guayaquil puede ser declarada «capital del ruido».

que es su manera de resolver todo asunto; del que (más bien, de la que) deja, en la cola del supermercado, su carrito, mientras sigue haciendo compras, y pretende que uno respete su sitio (alguna vez dije que era cola de personas, no de vehículos, y ahora creo advertir, con mayor frecuencia, que dejan a un niño entre las hojas de apio y los rollos de papel higiénico); de los que improvisan en la calle una cancha de fútbol —sé que, probablemente, como carecen de todo, tampoco tienen otro lugar para jugar y que allí se formaron algunas de la grandes estrellas de ese deporte— con lo cual obligan a desviar la circulación de vehículos, inclusive los de transporte colectivo; de los que durante la tarde del 31 de diciembre impiden, con una cuerda templada de una acera a otra, el paso de vehículos mientras no se les entregue dinero (algunos estudiantes lo hacen, cualquier día del año, durante sus manifestaciones, a fin de comprar gasolina para la quema de neumáticos que parecería ser la única muestra de una postura ideológica); del que en el aeropuerto, para afirmar, orgulloso, su nacionalidad, en la hilera para el control de pasaportes «se salta» algunos sitios, atropellando a ecuatorianos menos «vivos» y a extranjeros que no tienen nuestra viveza... He leído en algún periódico el caso de una falsa alerta dada telefónicamente por un pasajero, logrando así que se retardara la salida de un vuelo que temía perder.

Pero, ¿no se admira, también, la inteligencia que supone la viveza criolla? me preguntó la persona que conducía un programa de televisión sobre nuestras particularidades. Es posible que sí, a condición de no ser el que sufre el atropello, aunque... Hace algunos años, en Guayaquil, encontré a una linda muchachita negra que lloraba, sentada en el borde de una acera, junto a una botella de leche, rota. Tenía miedo, decía, de volver a casa donde sus patrones le pegarían. Le di dinero, más de lo que costaba reparar el daño. Algunos días después la encontré en otra calle, junto a los pedazos de una botella en medio de la leche derramada. La inteligencia, en esa mocosita, podía encontrarse, primero, en el cálculo de probabilidades: tal vez fui el único que en varios días volvió a toparse con ella, mientras que, en cada ocasión, los compadecidos recientes eran más numerosos. Y, luego, en la utilización y aprovechamiento de los materiales: estoy seguro, viéndola a la distancia en el tiempo, de que los cascos de la botella sirvieron más de una vez. Pienso también que, si llegados a la picardía, no cuentan ni el nivel económico, ni la importancia del individuo o del cargo que desempeña, ni el nivel de enseñanza recibida, tampoco cuenta la edad: me decepcionaría mucho pensar que fueron sus padres u otros adultos quienes la aleccionaron.

OTRAS SEÑAS PARTICULARES

No por placer, sino como una «Declaración (múltiple) de rencor (urbano)»[1], hice hace algún tiempo una lista, indignante e incompleta —e inútil, por lo demás, porque quienes figuran en ella no suelen leer estas cosas, si algo leen—, y que se reproduce aquí, simplemente, para mostrar la universalidad de la arbitrariedad con que actúa el individuo contra los demás: es una suerte de catálogo de algunos personajes que encarnan el resentimiento general que busca víctimas:

el político que ensucia los diarios y las pantallas de televisión con su actitud y su lenguaje de encomendero dueño de indios, charlatán de feria o asaltante de cargos, lo que nos incita a preguntarnos qué hizo el país, y cuándo, para merecerlo y por qué sigue tolerándolo;

el policía, guardián de un orden personal suyo, que establece un parte mentiroso o impone una multa arbitraria al que se niega a pagar el soborno que insinúa exigente, y luego, a manera de cobro, lleva detenido, y hasta tortura, a algún infeliz como él;

1 Revista *Diners*, 105, febrero de 1991.

el militar que, ebrio o sobrio, insulta, viola, hiere o mata en la calle, y a quien no se le puede decir quién es como individuo, porque eso constituiría «ofensa a la institución armada», y sabemos que, independientemente de su grado, no será sancionado porque rige el «espíritu de cuerpo»;

el chofer de autobús interurbano, Caronte potencial en cuya barca con ruedas, llena de imágenes religiosas junto a un aparato de radio, una vez cumplida su tarea de pasar las almas al otro mundo, desaparece y, seguramente, está conduciendo otro vehículo en otra circunscripción o en la misma donde cometió su crimen;

el chofer de autobús urbano, lleno de altares con imágenes que encarnan la piedad y el amor al prójimo, que parecería odiar a cuantos conduce, particularmente a los niños porque pagan menos, y que cobra en moneda verbal su resentimiento por su trabajo agotador, por lo que gana al día, por su color, por su incultura, por su vida;

los usuarios del autobús que suben con la mitad del mercado o de su casa a cuestas y se abren paso a codazos para hacer caber el envoltorio o la jaula entre los pasajeros, ninguno de los cuales quiere arriesgarse a recibir las bofetadas de una grosería parecida a la del chofer;

el taxista que ha establecido la extraterritorialidad de su vehículo y que decide no solo la marcha y el recorrido sino además el precio que se le antoja, pues siempre está descompuesto el taxímetro («eso cuesta», dice, como si cada cliente fuera extranjero y no conociera la tarifa; «la libra de carne está a siete mil sucres», dice, como si uno estuviera viajando en una carnicería;)

los choferes de taxi y de autobús que deciden la suerte de los demás habitantes del país, impidiendo el desarrollo normal de su vida y su trabajo, cercando ciudades —a veces las convierten en mingitorios colectivos— y bloqueando carreteras, «en defensa de los intereses de la clase del volante»[2];

el conductor de automóvil, dueño de la calle, de la avenida y de la acera, que no ve ni oye a los otros, sicológicamente incorporado así, aunque con intermitencias, a esa «clase», lo que significa que nadie existe delante ni al lado de él sino detrás, y aún eso...;

la inefable secretaria que, aislándose de la crueldad del mundo, se pinta tranquilamente las uñas o habla risueña por teléfono, o ambas cosas a la vez, y, pidiendo disculpas a su corresponsal, dice «no hay», «no está», «está en una

---

2 Los intereses de esa clase están por encima de la salud y la vida de los demás. Tras un paro de cinco días, a mediados de marzo de 1999, entre sus primeras exigencias figuraban la circulación de los vehículos de transporte colectivo, sin límite de edad útil, y la supresión del control de la contaminación del aire en las ciudades.

reunión» al intruso que ha interrumpido su rito cotidiano;

la vendedora que, cruzada de brazos, bosteza como si le aburriera seguir recordando el futuro, sin siquiera una novela de Corín Tellado en las manos, y que al cliente inoportuno con su pregunta zonza sobre algún artículo le responde: «¿Va a comprar, para mostrarle?» (y tú, que te quejas, que no saludas al entrar en un ascensor, ¿saludaste, pediste «por favor», ibas a decir «gracias» al despedirte?);

el motociclista que con ruidos y explosiones arranca, con dificultad, a las cuatro en punto todas las mañanas y a quien no se puede perdonar ni siquiera imaginando, generosamente, que madruga a su trabajo;

el farrista con sueño o con celos, pero con auto, que en la noche despierta al barrio entero con impacientes claxonazos que su mujer, hallándose más cerca, no parece oír en el bullicio de la fiesta;

el que se siente valer socialmente o que su valor social aumenta, y hasta adopta el gesto y la actitud adecuados, según la frecuencia con que suena su teléfono celular en el restaurante —donde debería haber un sector reservado a los insolentes usuarios, tal como hay para fumadores—, en el cine, el teatro, un concierto y hasta en la iglesia (un párroco debió colocar a la puerta de su iglesia un aviso rogando a los fieles que «apaguen« su teléfono al entrar o, por lo menos, durante la Elevación en el sacrificio de la misa) y, peor aún, en los funerales de alguien cuya muerte se supone que lloran;

la mujer de negocios que en el banco se introduce en la cola, antes de uno, porque «está apurada» (el único que protesta es algún costeño), y si le dices: «Yo también tengo prisa, señora», te contesta: «Cómo se le ocurre, si está leyendo».

Incompleta también, también indignante e igualmente inútil porque quienes figuran en la lista que viene a continuación tampoco suelen leer estas cosas, es la enumeración de la arbitrariedad con que actúan los demás contra uno, desprotegido por las autoridades: señal de que la sociedad está formada por la suma de individuos cuyo comportamiento asume y multiplica. Como si voluntariamente hubiéramos dado vuelta a la consigna de los mosqueteros de Francia y pudiéramos recordar, con igual altivez que ellos, «uno contra todos, todos contra uno». ¿Ejemplos?:

las compañías de aviación que, sin anuncio previo ni explicación alguna, colocan en su mostrador del aeropuerto un aviso de «Vuelo suspendido» o »Vuelo cancelado», sin nadie debajo que dé la cara para recibir la protesta siempre inútil de los perjudicados, o que suspenden o cancelan el vuelo sin aviso, mientras los pasajeros esperan sin saber a quién preguntar nada, menos aún la hora de salida;

las empleadas, única encarnación visible de esas compañías, que no se ocupan de los que forman cola desde dos horas antes porque «Estamos sin sistema», lo que le permite atender caprichosamente, en primer lugar, a quienes ella decide, haciendo que el paciente viajero que espera los mire preguntándose si se trata de familiares de ministros o de jefes militares o de policía;

los tramitadores, cuyas diligencias un gobierno trató de prohibir, que gestionan papeles de quince o veinte personas a la vez, adueñados de la ventanilla a donde quienes aguardan desde que ésta se abrió en la mañana llegan cuando «Ya son las doce, vuelva esta tarde», aunque son las 11:45, pero «es la hora del lunch y solo tengo media hora»;

los comerciantes o industriales, agentes o representantes de algo, que aprovechan cualquier lugar elevado y visible entre dos edificios para superponer un letrero a otro, con faltas de ortografía en todas las lenguas, ensuciando con ellos el ornato urbano —entre otras formas de agresión visual— robándole la vista del paisaje a los habitantes que se decidieron a comprar o arrendar casa o departamento por la perspectiva que ofrecía;

los estafadores que, independientemente de

la importancia de su negocio, ante cualquier emergencia o perspectiva de escasez, especulan con el comercio de productos indispensables para la vida, aprovechando la histeria glotona de una clase obesa que acapara lo que puede para sí misma, sin que a ninguno de los dos grupos le importe el ciudadano;

las empresas o individuos que han generalizado la contratación de personal por tres meses y las amas de casa que acusan de robo a sus empleadas, ambos con el fin premeditado de despedirlos sin indemnización alguna;

los que van al restaurante en grupo y en alta, altísima voz y risas, imponen su conversación, como en su casa o en un almuerzo campestre, y no pueden comprender que —como en el caso de los poseedores de teléfonos celulares— no interesan a los demás comensales sus asuntos, de trivialidad insufrible, vueltos forzosamente públicos;

los responsables de la programación de los cines que suspenden sin aviso la función u olvidan cambiar el anuncio en los diarios («se han equivocado en el periódico» dice con tal frecuencia la encargada de la boletería, cuando el cine no está cerrado, que uno imagina que se ha contratado a un periodista a fin de que se encargue exclusivamente de alterar los avisos);

los que entran al cine agrupados y no ven la película por hablar y comer, o en parejas que ni siquiera se acarician ni besan por reír y comer y, al igual que el comensal solitario, tampoco oyen ni dejan oír los diálogos ni la música ni los ruidos de la película por producir los suyos de masticaciones y degluciones de cosas que hacen ruido o en envolturas que hacen ruido;

los responsables de la televisión que jamás alteran la programación de esas telenovelas que son síntoma de la debilidad mental del subdesarrollo americano (del norte o del sur, no importa), pero que, cuando se trata de una película de un realizador normalmente inteligente, confunden al espectador publicando el mismo anuncio del día anterior o de la semana pasada, o cambiando la hora para la que estuvo anunciada o alterando o simplemente suprimiendo la transmisión;

los responsables de discotecas que, para calmar a quienes esperan poder entrar o para hacer publicidad de su local, orientan hacia la calle y otras casas altavoces por los cuales se oyen, a altas horas de la noche, las notas bajas de un acompañamiento rítmico, como los latidos de una bestia colosal;

los vendedores informales que invadieron primero las aceras, luego las calles de la ciudad, contra los cuales poco pueden los alcaldes, que se niegan a ir a un mercado habilitado para ellos, y que siguen, sentados en su sitio, esperando que «cambie la estructura» del país, porque el suyo «es un problema estructural»;

(y aquí cada uno puede ir añadiendo a ese enemigo que no es personal, porque es enemigo de todos, resentido con todos porque es humillado por otro, humillando a los otros que se creen iguales a él, civilizado a medias,

extranjeros en una sociedad con normas, perniciosos e impunes, nostálgicos de un país de la insolencia donde la burla y la agresión a los demás son forma de conducta,

miembros de otra raza, ésa que perdió la costumbre de la contigüidad humana y de la convivencia con los demás,

que en la violencia de la vida no encontraron, o en una esquina de su ignorancia extraviaron, el respeto a la persona, entidad capaz, igual que ellos, de derechos y obligaciones, según el diccionario que nunca abrieron,

desterrados del futuro, porque esto también, y antes que el resto, cambiará un día, creo, tengo que creer).

DE LA ABOLICION DEL FUTURO
AL FUTURO RECOBRADO

He recordado, a menudo, que hace más de un siglo y medio Hegel afirmaba que «América es el país del porvenir», y hemos venido repitiendo su afirmación sin preguntarnos, hasta ahora, por comodidad o por miedo, cuándo va a comenzar el porvenir. La respuesta la daba el propio Hegel en su *Filosofía de la Historia* cuando dice: «En tiempos futuros se mostrará su importancia histórica, acaso en su lucha entre América del Norte y América del Sur...». Y, aunque agregaba: «Mas, como país del porvenir, América no nos interesa, pues el filósofo no hace profecías», sucede que nos encontramos en la profecía realizada, reflexionando sobre el porvenir, y entrando en él como los griegos en la muerte: a reculones, porque lo único que conocían era lo que quedaba atrás. O sea que tenemos el futuro a la espalda.

La abolición del futuro como porvenir es síntoma nacional de una enfermedad mucho más grave: se diría del nuestro que es un país transitorio, que vive al día, empleado pobre que debe conseguir diariamente el «diario» con que mantiene su casa; país donde el tiempo no existe, donde da lo mismo hoy que mañana, mañana que hoy, lo que, llegado al extremo de la vida, una canción mexicana lo expresa mejor que cualquiera de las nuestras: «si me han de matar mañana, que me maten de una vez».

Me parecen inútiles y fuera de lugar ciertos análisis apresurados del siglo que termina, de los que supuestamente se desprenderían las perspectivas del que viene, como si aquí alguien estuviera acostumbrado a prever lo que será más allá de la semana siguiente, del año próximo: para la mayoría de los gobernantes el país solo tiene la duración de su mandato —aunque traten de justificar determinadas decisiones, a menudo perjudiciales en el corto plazo, con supuestas visiones de un porvenir distante— y, para los dirigentes políticos, la duración de la que surgirán condiciones para su triunfo en las próximas elecciones. La presciencia del futuro, cuando existe, se limita a anunciar la fatalidad del desastre: el estiaje anual determina suspensiones no solo del alumbrado (por lo cual los llamamos «apagones») sino de todo el suministro de energía eléctrica, con pérdidas que no puede permitirse el ya famélico país sin seguir hundiéndose, y cada año se lo atribuye a la imprevisión del régimen anterior, y hay proyectos, oficiales y particulares sobre nuevas plantas de energía y otras soluciones técnicas, algunas de las cuales bordean el milagro, que nunca se llevan a la práctica, sumadas a la práctica de la ocupación de centrales eléctricas, a fin de impedir el suministro, por los miembros de la llamada «burocracia dorada» de las empresas estatales.., y volvemos a la compra apresurada de generadores domésticos de energía y de lámparas portátiles, a maldecir al régimen, a llevar a reparar nuestros aparatos eléctricos, hasta que llegue, última esperanza para resolver la recurrente crisis energética, procedente de Malasia, la barcaza Energy Corp, que tiene tantos retardos o desperfectos[1], o hasta que vuelva a llover en Paute: entonces, como cada año, el disponer nuevamente de luz parece un don, un regalo del gobierno —y de los trabajadores de la electricidad, también—, que debiéramos agradecer.

El fenómeno de El Niño, que anualmente causa destrozos en todo el continente sudamericano y que en 1982 fue fatal para Ecuador, se anunció para 1997 como «el peor en siglo y medio» (en seis meses las precipitaciones pluviales fueron iguales a las de siete años) y sus estragos,

1 La barcaza entró al Golfo de Guayaquil, frente a Posorja, a fines de enero de 1999, para un periodo de pruebas. El 20 de febrero, los trabajadores de INECEL, al paralizar todas sus actividades exigiendo que el gobierno garantice su traspaso a las nuevas empresas eléctricas, previo el pago de indemnizaciones por terminar su actual contrato, decidieron suspender los trabajos de interconexión de la subestación de Trinitaria a la barcaza salvadora.

de variable intensidad, comenzaron, adelantándose como nunca, en julio; hubo reuniones al más alto nivel nacional, participaron en ellas representantes del gobierno, la Defensa Civil, las Fuerzas Armadas y organismos especializados; se elaboraron tácticas, se adoptaron medidas de prevención a cuya aplicación incluso se destinaron fondos, pero cuando veíamos, paralizados, acercarse cada día la desgracia como algo ineluctable y la corriente comenzó a cobrar sus víctimas anuales, supimos que no había dinero, que iban a gestionarse préstamos ante los organismos internacionales y que los fondos entregados a gobernadores, alcaldes o prefectos se destinaron, con pueblerinas miras electorales, a la reparación de bordillos y canchas deportivas y hasta a la compra de 30 *jeeps* con aire acondicionado..., lo que condujo a la acusación popular de que «la culpa de El Niño la tiene el gobierno que no tomó medidas para evitarlo». (Lo que pudo haber evitado era el volumen monstruoso de pérdidas: según datos de la Dirección Nacional de Defensa Civil, fueron afectadas, solamente hasta mayo de 1998, 10.353 familias o sea 31.998 personas y 7.546 viviendas; el número de damnificados ascendió a 22.500 personas y el de muertos a 187; cálculos excesivamente conservadores señalaban, en el mes de marzo, pérdidas por 2.500 millones de dólares y más de 43.000 km de vías destruidas, incluidos 50 puentes, y 21.000 aulas escolares afectadas; el cuadro se completa, hasta el mes de mayo, con 1.368 casos de dengue clásico y 1.584 de paludismo. (Semejantes cifras no conmueven a quienes negocian incluso con la muerte: es posible que en los precisos momentos en que escribo esta página, ya hayamos olvidado la fabulosa estafa, todavía impune, de 520.000 kilos de ropa introducida sin aforo en el país, bajo el supuesto de que se trataba de donaciones generosas destinadas a las victimas. Y olvidado que, pese a esas cifras, en la campaña electoral más corta de la historia, los candidatos a la presidencia de la República gastaron 25 millones de dólares en propaganda.) Lo único positivo que nos habrán dejado los desastres sucesivos es haber comprobado, pese a la indolencia del gobierno, la decisión y la capacidad populares para enfrentar problemas colectivos y el comportamiento ejemplar del voluntariado, particularmente el de Guayaquil.

Otro caso, mayúsculo, de imprevisión fue el incendio del 26 de febrero de 1998 en la «ciudadela» de los funcionarios de Petroindustrial: la empresa, que maneja material inflamable, no contaba con un solo dispositivo de seguridad ni contra incendios, y el único carro de bomberos no disponía de productos químicos en cantidad suficiente para apagarlo y se hallaba sin agua, pese a tener cerca el río Tiaoné (donde se vertió el crudo inflamado), el Esmeraldas y el mar. Hubo 12 muertos, seis heridos graves que debieron ser trasladados a Houston, Texas, más 19 tratados en hospitales ecuatorianos, a cargo de Petroecuador. (La Contraloría ¿bilingüe? de este organismo estableció, entre las glosas, una al justificativo de tres «Umbrella» al mes por paciente —se trata de una pomada de protección solar de las quemaduras, de los laboratorios Silpro—, considerando que eran excesivos tres paraguas por persona.) Finalmente, hay planes muy concretos para la ampliación del oleoducto actual y para la construcción de uno nuevo: se han calculado con precisión las utilidades que ambas obras dejarán a quienes las construyan, así como las pérdidas para el país por cada día que pasa sin construirlas, sin que, al parecer le importe, ni parece importarle el cálculo, quizás menos preciso pero más angustiante, del agotamiento y extinción de nuestras reservas petroleras... (Todo ese comportamiento se me antoja similar al del montuvio que, tras ahorrar a fin de comprar su ataúd y guardarlo bajo la cama «pa' cuando se ofrezca», gasta ese dinero en una francachela de cumpleaños.)

Al igual que el Estado, y pese a la apariencia de previsión que suele dar, nadie mira, ni siquiera por su propio interés, hacia adelante —los programas de ahorro y de inversión, a más de ser relativamente recientes, llegan sólo a los grupos que, es obvio, ganan más de lo que gastan y en 1999 fueron «congelados» por decisión oficial—, como si el futuro quedara, realmente, atrás; nadie mide, de acuerdo con el porvenir, sus actos: el que, por obtener ahora algunos millones, pone fin, en su carrera política, a los éxitos que habría podido alcanzar en el futuro (a menos que pretenda volver a las andadas gracias a la «mala memoria» colectiva), actúa de la misma manera que el dueño de chingana que «se equivoca», siempre en su favor, al dar el vuelto sin importarle perder al cliente. (Hasta hace poco, este era el único país de cuantos conozco donde no había obligación de entregar una factura al comprador, consumidor o usuario de bienes y servicios; luego, le hacían escoger «¿con o sin factura?», «viveza» generalizada en almacenes, parqueaderos, mecánicas, tiendas, bares..., esa vez frente al fisco que no tenía comprobantes legales para el cobro del impuesto al valor agregado. La nueva reglamentación parece haber desterrado esa práctica.) Hace muchos años, en Tokio, el embajador de Ecuador se vanagloriaba de haber logrado un valioso convenio comercial de banano con el Japón, mas la fruta enviada no correspondía a las muestras que hicieron posible el acuerdo: algo, quizás mucho, ganó esa vez el exportador con su «viveza», pero perdió un mercado incalculable. Ese comportamiento se estudia internacionalmente, en las

técnicas de negociación, como factor de descrédito de un país. Se diría, o alguien ha dicho ya,
que el nuestro se inclina, comúnmente, más por
el *bluff* en el juego de *poker* que por el ajedrez:
por ahora, Rusia es, pese a su extensión y población, el único país más desprestigiado que Ecuador en el mundo.

¿Cuando tuvimos nosotros un proyecto nacional, es decir histórico, o sea que abarcara el
futuro? Si dejamos de lado el proyecto de nación que llevamos adelante tenaz, intuitiva, ter-
ca, espontáneamente, como una reacción bioló-
gica al destino, sin participación de la voluntad
ni del pensamiento, quizás el único fue, y a medias, la lenta recuperación moral del país tras la
derrota de 1941. Después, lo que pudo ser futuro se nos fue en esfuerzos baldíos que ni siquiera llegaron a ser proyectos: esperar, siglo tras siglo, la restitución del territorio perdido siglo tras
siglo o seguir existiendo en función de nuestros
límites que, como decía de los suyos un poeta
argentino, «ya no son límites sino cuestión de límites».

Yo había escrito, para una canción de Ge-
rardo Guevara: «Pasa y se queda el río [...]/ el
futuro nunca pasa,/ se va pero viene el río.» En
la inevitable asociación del río con Heráclito, no
había recordado la hermosa noción indígena del
tiempo, con el pasado delante, con el futuro detrás, que he citado tantas veces a lo largo de es-

tas páginas. Y me parece útil, particularmente ahora, la imagen de un futuro que pasó y se queda, que se nos fue pero que viene: ése que no vivimos, porque no nos dejaron o no quisimos, y vuelve ahora, cuando parece que vamos a poder. (De esa concepción nuestra participan curiosamente los poetas de América Latina: no recuerdo quien escribió: «Cuando digo "Futuro" las dos primeras sílabas pertenecen ya al pasado». No era ecuatoriano, pero merecía serlo; aunque, en nuestra situación actual, más nos conviene adherir al título de *Retorno al futuro*, que Luis Cardoza y Aragón puso a uno de sus mejores libros, e incluso al de *Recuerdos del futuro*, de Elena Garro.)

O sea que volver a él, aprendiéndolo en el pasado, es la manera de entrar en el porvenir. Hablo, evidentemente, de un futuro colectivo, histórico, de país, intuido como destino que nos trazáramos nosotros mismos en la mano o en la tierra o, más simplemente, como madero al que podamos asirnos en el largo naufragio, puesto que, considerado individualmente, el porvenir parecería ser, como el ahorro, una «cuenta de días» en un banco, en cuya libreta importa más la esperanza que el saldo que queda de la vida. El futuro, en ese caso, según sea la cuota de pobreza o de existencia, consiste en conseguir un cupo en una escuela, comer mañana, saldar una deuda que atormenta, encontrar trabajo, com-

prarse una casa, hacer un viaje, escribir un libro... La noción de futuro para el gordo tonto,
sonriente y sonrosado que, ante tísicos y palúdi-
cos que han perdido en el agua, junto con el jer-
gón la esperanza, se vanagloria de sus millones,
no es la misma que para el infeliz a quien nunca
logró ver, transparente de puro flaco, y al que
solo ahora, como valoración en especie de su voto, como pago o limosna por una compra sucia,
le da esa cucharada de arroz, esa gota de leche,
esas dos aspirinas que siempre le hicieron falta
y seguirán faltándole después de haber votado.

En mi pesimismo combatiente siempre creí
en el futuro, pese a los hombres, a algunos hombres. Por eso, también ahora, creo en la posibilidad de una paz estable y duradera, que libera-
rá energías, esfuerzos y recursos para ese proyecto de futuro, que no construimos, a base de
la afirmación de una conciencia cívica creadora,
capaz de echar los cimientos de un país que nos
devuelva el orgullo que perdimos, por razones
de ética y estética, cuando los corrompidos tuvieron el poder; creo en ese proyecto de futuro,
que descuidamos, para el cual la educación es
asunto de Estado que deberá concebirse desde
la basura en un rincón del aula donde se encuentra ahora hasta la formación de líderes jóvenes y cuadros nuevos, lavados de todas las manchas de nuestro pasado; creo en ese proyecto de
futuro, que olvidamos, de una república donde

las minorías discriminadas —indios, mujeres, jóvenes, niños, cultura— ocupen el lugar que siempre merecieron y jamás tuvieron en la historia aunque aparezcan, a veces, en los libros de historia; creo en ese proyecto de futuro, que desdeñamos, por el cual la recuperación de nuestra geografía es parte del país que nos fue dado para que lo habitemos cuidándolo y lo entreguemos a quienes vienen después. Creo que podemos recobrar el futuro perdido, que no es solo tiempo.

Quiero creer en un proyecto de vida que vuelva aproximada a la verdad la visión, ¿premonición al revés?, de los primeros cronistas y hasta del dramaturgo Harold Pinter, que encontraron aquí la representación del Paraíso hecha por los pintores de la Edad Media, y que confirme así la afirmación, escuchada en mi infancia en el cine, en boca de un gángster que pensaba retirarse a Quito, que está en el Ecuador —cabe recordárselo a quienes olvidan la geografía en las matemáticas torpes del regionalismo—, porque allí era posible «tomar las estrellas con la mano».

CREO EN UN PAIS...

Creo en un país que sea cuna, hogar y escuela en cuyo pizarrón queden inscritos para siempre nuestro derecho a la vida, adquirido por el solo hecho de haber nacido, y los demás derechos que nos atribuye la Ley por haber nacido aquí y no en otro sitio.

Creo en un país donde el joven sea respetado como el adulto, la mujer como el varón, el pobre como el rico, el indio, el negro y el mestizo como el blanco, es decir un país donde no haya más privilegiados que los niños.

Creo en un país independiente y soberano, capaz de trazar libremente, en la mano abierta de la patria, la línea sin interrupción ni final de su destino.

Creo en un país donde cada uno de nosotros sea parte del Estado y le exija educación y salud a cambio de su trabajo, y no solo un salario que no alcanza para pagar «el desayuno, la flor, el ataúd.»[1]

Creo en un país que ama la paz, la busca y la defiende porque sabe que, victorioso o vencido, en la guerra es siempre el pueblo quien llo-

1 JEA: *Notas del hijo pródigo*, Quito, Ed. Rumiñahui, 1953.

ra a sus muertos y paga la factura de las armas y el destrozo.

Creo en un país de fronteras definidas, para saber en dónde queda realmente la puerta de calle y dónde la puerta del vecino del frente, para llamar a ambas, abrirlas de par en par y que entre por fin la luz del nuevo día.

Creo en un país donde el ser humano sea punto de partida y destinatario del esfuerzo de quienes hacen las leyes y de quienes las aplican y donde la justicia vea la verdad aunque para ello debamos arrancarle la venda que lleva mil años en los ojos.

Creo en un país del futuro donde hayamos cuidado la tierra, la atmósfera y el agua limpias, como la madre que lava las sábanas para que nazca el hijo y éste para los hijos de los hijos de sus hijos.

Creo en un país donde la armonía de palabras, sonidos, cuerpos, formas y colores sea el milagro repetido cada día para todos y entregado a manos llenas, como lluvia, como sueños, como panes.

Creo en un país esplendoroso por la multiplicidad de su población y de su geografía, donde cada persona, familia, comunidad, aldea, ciudad o provincia tenga el orgullo de haber formado, con su diversidad y diferencia, la patria única que les debe mucho, la patria grande a la que le deben tanto.

Creo en un país donde los jóvenes enarbolen, como un diploma firmado por la nación, el gozo de haber reparado las cuarteaduras de la república, borrado las manchas de la Historia y sanado las heridas del pueblo lastimado por el Poder y la pobreza.

Creo en un país que encauce la fuerza y el ingenio de todos sus habitantes a la reconstrucción material y moral de la patria, rota como una cometa de agosto por el viento de la calamidad y por los hombres, «tirada por la trenza, hecha pedazos.»[2]

Creo en un país donde seamos capaces de mirar por sobre el hombro la ruina que queda a nuestra espalda, y construyamos un paisaje luminoso para todos, porque vamos a la luz que está adelante y nos espera al final del túnel largo.

Creo que ese país es éste.

Creo en este país.[3]

---

2 JEA: «Tres juguetes rotos: La cometa».
3 En la mañana del 10 de agosto de 1998 se celebró en la Plaza de San Francisco, en Quito, una manifestación popular por la unidad del país y el respeto a su pluralidad, con delegaciones de

los diversos grupos étnicos, culturales y religiosos, que traían tierra de cada una de sus provincias para sembrar el «árbol de la unidad». La convocación a ese acto —«Credo por el país»— me pareció la más noble que podía concebir y esperar quienquiera a quien interesara la identidad nacional y preocupara su división física y moral que nos ha conducido a un regionalismo deformado. Consideré como un deber aceptar la invitación a participar en él, en mi condición de ciudadano y de intelectual a quien semejante problema había inquietado desde su primer libro hasta éste, y allí leí estas páginas. Ese día comenzaba, además, un nuevo periodo presidencial en el cual había puesto su esperanza la República tras dos gobiernos, uno infame y otro inútil. El presidente electo me pidió que le autorizara a incluir mi texto en su discurso de posesión del mando que leería esa misma tarde ante el Congreso Nacional. Para algunos observadores aquello constituyó un compromiso con la cultura y, obviamente, una declaración tácita de que compartía la esperanza expresada en cada uno de sus párrafos. Transmitido así a todo el país, leído espontáneamente en escuelas y colegios, fueron innumerables los testimonios de adhesión que recibió y los pedidos de copias por parte de personas conocidas y no. A algún escritor le fastidió la difusión que de esa manera habían tenido unas páginas mías. Refiriéndose al acto de la mañana del 10 de agosto, en el que no participó, uno de los «pensadores» amargados, entonces periodista, me calificó de «vate oficialista, que leyó un texto pueril en una sabatinas [sic] del poder». Está demás decir que no fundamentó ninguno de los adjetivos.

DESPUES DE TODO...

Sí. Bueno. Cierto. Así es. Más o menos. No tanto.

Y ahora ¿qué? ¿Qué vamos a hacer ahora, a más de algún chiste que nos excuse? ¿Qué vamos a hacer los que no queremos resignarnos a creer que «así somos», «esa es nuestra idiosincrasia», «así mismo es», «no hay nada que hacer»? ¿Qué vamos a hacer, entre todos —nosotros, tú, usted, ella, él, ustedes, yo—, para que «este» país sea «ese» país?

INDICE

POSDATA

Si, lejos de intentar un análisis de nuestras señas particulares, este libro hubiera sido una crónica de acontecimientos políticos del país, el presente capítulo habría podido titularse «Epílogo», aunque quizá sea un «prólogo» a otros sucesos. Pero se ha escrito después de las páginas anteriores, ya en prensa: de lo contrario, algunas de las citas y reflexiones que contiene se habrían incluido en las secciones a que correspondían.

A nadie, cualquiera que haya sido su reacción frente a los hechos del 21 y 22 de enero del 2000, pudo quedarle duda sobre la capacidad de organización y la madurez política del movimiento indígena: ya no reclamaba un camino, un curso de agua, una escuelita sino que, tras exigir, desde hace un decenio, mayores espacios de participación para la defensa y el reconocimiento nacional de su territorio y de su cultura, ha pasado de interlocutor a enjuiciador del poder político. Habían obtenido los pueblos indios el derecho a «mantener, desarrollar y fortalecer su identidad y tradiciones», a «conservar y desarrollar sus formas tradicionales de convivencia y organización social, de generación y ejercicio de la autoridad», a «contar con el sistema de educación intercultural bilingüe», a «conservar la propiedad imprescriptible de las tierras comunitarias, que serán inalienables, inembargables e indivisibles», de «adjudicación gratuita» y exentas del pago de impuestos, entre muchos otros derechos consagrados en la sección primera, «De los pueblos indígenas y negros o afroecuatorianos», del Capítulo 5 de la Constitución. Y en un acto de afirmación moral y cultural a la vez, lograron que se convirtiera en ley, en el Capítulo «De los deberes y responsabilidades» de los ciudadanos, ese tradicional mandamiento suyo: *Ama quilla, ama llulla, ama shua* (No ser ocioso, no mentir, no robar) que tanto cambiaría al país si lo observáramos en cualquiera de las dos lenguas. Existe también, desde hace algún tiempo, el Programa de Desarrollo de Pueblos Indígenas y Negros del Ecuador, con un financiamiento de 50 millones de dólares por parte del Banco Mundial, canalizados a través del Consejo de Nacionalidades y Pueblos del Ecuador, organismos en los cuales, naturalmente, los indios tienen representantes, como los tuvo en la Asamblea Nacional Constituyente y los tiene en el Congreso actual, una de cuyas vicepresidencias desempeña Nina Pacari, diputada de Pachakutik. (Tales son, posiblemente, las «cositas» a que se refiere el presidente de la Conaie, Antonio Vargas, al decir que no aspiran a ellas sino a una revisión general del Estado «en 10 o 50 años»). Después, en los diálogos sostenidos con el gobierno, se hicieron reclamos impostergables para el país entero, y ya no solo para las comunidades indias, tales como la congelación de los precios del gas y la gasolina y disposiciones relativas a las tarifas eléctricas, la ley de aguas, la educación, la salud... (Los acuerdos a que se llegó para la solución de esas reivindicaciones no se firmaron —según el presidente Mahuad en su penúltima presentación televisada al país— debido a la proximidad de elecciones internas en la Conaie, cuando Vargas bregaba por un nuevo mandato y no quería aparecer como «gobiernista». Y mientras nos preguntábamos si su no asistencia a la cita no obedecía, en realidad, a la perspectiva inmediata de mayores exigencias políticas —entre ellas nada menos que la renuncia del presidente de la República—, nos enteramos de que, para sus compañeros, «la culpa» de que no se firmaran los convenios en noviembre de 1999, y cuya suscripción Vargas exige al nuevo gobierno, es de uno de sus consejeros, «radical, severo, duro de carácter e intransigente»[1]). Más importante que todo ello es el hecho de que el movimiento indígena pasó de la mera exposición de aspiraciones a la proposición de un nuevo modelo de Estado, supuestamente más legíti-

---

1 «Antonio Vargas se afirma en su liderazgo», *HOY*, 11.02.2000.

mo y representativo, aunque no está despejado aún el camino por el que se llegaría a él, ni se haya establecido esa inteligente y útil diferenciación entre la «producción de legitimidad» y el uso que de ella se haga. Cualesquiera que sean sus propósitos para un futuro no muy cercano, pese a su convicción de que «no se trata del cambio de una persona por otra cuando son del mismo círculo y responsable de la crisis»[2], y pese a las reflexiones supuestamente filosóficas de los intérpretes del pensamiento indígena, hasta el momento solo se ha visto su decisión de cambiar a los individuos que ejercen las diversas funciones del Estado: el derrocamiento del presidente lo obtuvieron mediante el golpe militar que propiciaron y que los dejó fuera del poder a que aspiraban, optando por la «sucesión constitucional»; en cuanto a la función legislativa, la propuesta de una consulta popular que obligue a «revocar el mandato» del Congreso —al comienzo hablaban de disolución, en el sentido de supresión— es inviable: se sabe que deberían realizarse 123 consultas, a nivel provincial, una por cada diputado y solicitada por el 30% de sus electores, determinando en cada caso si se le acusa de corrupción o de incumplimiento injustificado de su plan de trabajo. (Y después, ¿qué? ¿Se elegirá otro parlamento, de acuerdo con qué

2 Blanca Chancoso: «Estaremos en las calles siempre», *Ciudad para todos*, Nº 4, Quito, febrero 2000.

disposiciones electorales que faciliten la «modernización del Congreso», según se plantea ahora, y luego de qué modificaciones a la Constitución a fin de hacer realidad semejante aspiración?). Y respecto de la función judicial, no sabemos de qué manera, quién, conforme a qué procedimiento legal designaría a los jueces. De modo que la ocupación del Palacio Legislativo, de la Corte Suprema de Justicia y del Palacio de Gobierno, forzosamente efímera, fue, en realidad, un símbolo de algo más duradero y por venir: Miguel Lluco, respetado dirigente indígena y ex diputado, asegura que en una década la Conaie «llegará al poder ya no por asalto, sino porque el poder real que se construye desde la base "se consolidará"»[3].

Por sus actitudes recientes y, ante todo, por las declaraciones de sus dirigentes, se tiene la impresión de que ya no se trata de que «los indígenas sean incorporados al sistema» —como antes, con solemne estupidez, se proclamaba que debían ser «incorporados a la cultura»— sino de crear ellos un sistema otro, excluyente respecto del resto de la sociedad, puesto que no han planteado en ningún momento la interculturalidad como elemento de cohesión e identidad del país: no hubo llamamiento alguno a los demás campesinos de la Sierra ni a los de la Costa, ni a

3 Orlando Pérez: «La Conaie ya no es la misma», *HOY*, 11.02.2000.

los negros y montubios, ni a los habitantes pobres de la ciudad. No piden ayuda a nadie. Tampoco la dan. La dirigente indígena Blanca Chancoso es terminante: «La gente tiene su estómago, su familia, y no son privilegiados. Entonces no esperamos que Quito se vaya a solidarizar con los indígenas ni con los movimientos sociales, sino que Quito reaccione por sí mismo y se una, cierre filas para defender sus derechos y su dignidad de personas, de humanos. [...] En el campo tenemos por lo menos una col, una hoja verde para el caldo, pero en la ciudad no tienen y por eso hay días que comen y días que no. Creo que en vez de morirnos del hambre y de iras dentro de nuestra casa hay que salir a las calles y exigir nuestros derechos.» Y añade: «Los indígenas nos sentimos honrados por nuestra honestidad, la gente confía pero no les vamos a dar haciendo la lucha, no les vamos a dar reclamando los derechos que todos tienen. Creemos que Quito tiene que estar presente en esta lucha, o sino [sic] cuando ellos quieran salir estarán solos y será demasiado tarde»[4]. ¿Solos, es decir sin apoyo de los indios? ¿Demasiado tarde, es decir después de la sublevación de los coroneles? Por su propia concepción de las nacionalidades, los indígenas pelearon durante algún tiempo porque se declarara a Ecuador un Estado plurinacional, lo que asustó a quienes consig-

4 Blanca Chancoso, entrevista citada.

naron en la Constitución que es «pluricultural y multiétnico», lo cual ya fue, por lo menos, algo. Pero parecería que a los indios ya no les interesa un Estado, ni siquiera uno multinacional, sino otro, peligrosamente unicultural, basado más en premisas de orden étnico que político. («Mariano Curicama, el alcalde de Guamote, propone ahora que las próximas elecciones de su cantón ¡excluyan a los partidos de mestizos!»[5]). De ahí que, olvidando que también son parte del Estado —con sus propias instituciones y una autonomía relativa constitucionalmente establecidas—, propusieran en realidad su disolución. En los sucesos de enero no parecieron recordar ninguna de las definiciones elementales: «Estado: 2. Orden, clase, jerarquía y calidad de las personas que componen un pueblo. 4. Cuerpo político de una nación. 7. Conjunto de instituciones políticas, jurídicas y administrativas que tienen jurisdicción sobre la población de un territorio limitado por fronteras. 14. **Estado de derecho** Aquel en el que la ley elaborada por los legítimos representantes de la comunidad está por encima de individuos, grupos o instituciones»[6]. Para los indios del Ecuador se trata de otra cosa, evidentemente más noble que la simple repartición del poder entre sus dirigentes y los militares: se diría que han retomado, en ma-

5 Diego Cornejo Menacho: «Un país diferente», *HOY*, 16.02.1000.
6 *Diccionario Enciclopédico Espasa*, Madrid, Espasa-Calpe, 1995.

yor número y con mayor decisión y fuerza, el grito, que entonces fue esperanzado más que victorioso, de «¡Ñucanchic huasipungo!» con que termina la larga inculpación de Jorge Icaza al país. Salvo que ahora parecería que su huasipungo es el Ecuador entero.

El espectáculo, doloroso y grotesco, del 21 de enero fue calificado de perturbación del orden, trastorno, subversión, anarquía, alboroto, rebelión, movimiento, escándalo, disturbio, convulsión, revuelta, motín, amotinamiento, sedición, asonada... (Negar que hubo un golpe de Estado —«Violación deliberada de las normas constitucionales de un país y sustitución de su gobierno, generalmente por fuerzas militares»[7]—, con el argumento de que «no hubo muertos», es tener una concepción demasiado sanguinaria de la política, no siempre justificada por nuestra historia.) Cuestión de entorno, al fin y al cabo: en la lengua iglulik de los esquimales hay más de cien palabras para designar la nieve según su consistencia y otro tanto en árabe para la arena.

La ópera bufa, la función de títeres, el espectáculo de guiñol, la payasada o «cantinflada» política (también en este caso es rico nuestro vocabulario) de aquellos dos días, nos hizo sentir, simultánea o sucesivamente, asombro, desasosiego, ira, frustración, vergüenza: de no ser

---

7 *Diccionario de la Lengua Española* (RAE).

por ello, quizás habríamos podido hasta reír, como el resto de América, nosotros con amargura, viendo al fugaz triunvirato —que volvía más patético el representante ¿de quién, de qué sino de su ambición a, por lo menos, un tercio del poder?, puesto que su presencia en él «no había sido consultada con el Parlamento de los Pueblos»[8]— repartiéndose las funciones del Estado. Porque fuimos «hazmerreír del continente»[9]. Y, pese a ello, nos bastaba imaginar a cualquiera de esos triunviros dirigiendo el país o interviniendo en uno de los foros internacionales de América o del mundo para llorar: la escritora española Rosa Montero, que conoce bien América Latina, habla de «ese patético pseudo golpe» para exclamar: «Qué trágico es a menudo el destino de los países andinos... Tienen algo imponente, profundo y doloroso...». Justo y generoso su diagnóstico. Pero atribuir aquella bufonada al destino o a nuestra condición de país en los Andes sería un fatalismo demasiado cómodo para evadir la parte de culpa que nos corresponde y tener lista la explicación o excusa para la próxima vez.

Las cosas son más claras y groseras. El internacionalista Juan Gabriel Tokatlián al escribir, en *El Tiempo* de Bogotá, acerca de cómo «los Andes se han convertido en el mayor foco

8 Declaraciones de Miguel Lluco citadas por Orlando Pérez: ob. cit.
9 Hernán Ramos Benalcázar: «Ecuador, ¿un país "for sale"?», *El Comercio*, Quito, 04.02.2000.

de inestabilidad e inquietud hemisférica», enumera, junto al «grotesco derrocamiento de Jamil Mahuad en Ecuador, la codicia antidemocrática de Alberto Fujimori para convertirse en una suerte de monarca eterno en Perú, la peligrosa incertidumbre institucional generada por Hugo Chávez en Venezuela, los crecientes inconvenientes de todo orden que vive Hugo Banzer en Bolivia, la explosiva situación que confronta Andrés Pastrana en Colombia», como «indicadores elocuentes de que los Andes están en medio de un torbellino. En los temas negativos de la política mundial —auge del narcotráfico; expansión del crimen organizado; aumento de las migraciones, desplazados y refugiados; violación de los derechos humanos; crecimiento de la corrupción; menor control de las fuerzas armadas; depredación del medio ambiente; menoscabo del estado de Derecho; acentuación de la pobreza; intensificación de la inseguridad; agravamiento de la concentración de la riqueza; avance del desmoronamiento institucional; potencialidad de conflicto militar; freno a los procesos de integración económica; pérdida de competitividad comercial, etc.— la zona andina como un todo está en el centro de atención y alarma continental»[10]. Y muchas de esas características, por no decir todas, están presentes, y de manera

---

10 Juan Gabriel Tokatlián: «La unidad perdida, Sudamérica ya no existe», *El Comercio*, Quito, 06.02.2000.

atroz, en nuestro país desde hace mucho y agravadas en este momento. Las denunciábamos pero ninguno de nosotros hacía ni proponía nada: además, no tenemos dirigentes. Ese vacío constituyó la mejor oportunidad para la marcha indígena sobre Quito, que vino a reclamar —es claro que tenían en mente algo más para después— la renuncia de aquellos a quienes se consideraba culpables de todo. Advirtiendo lo que se aproximaba, el Alto Mando militar hizo llamados a la concordia, como pronunciamientos acerca de la defensa del régimen democrático, con tanta frecuencia y con tal porfía que la experiencia republicana habría debido recordarnos que semejantes declaraciones de amor a la Constitución son siempre anuncios de un golpe de Estado. Y, como siempre, «...cada militar alzado se consideraba elegido para salvar a la Patria». Tras preguntarse si el «reciente golpe militar en Ecuador marcó el fin de más de dos décadas de avances democráticos en América Latina», Andrés Oppenheimer apunta: «No está claro todavía si Noboa podrá ejercer una plena autoridad sobre los militares de su país»[11]. O, como señala el analista César Montúfar, politólogo y profesor de la Universidad Andina Simón Bolívar, el proceso de reconstitución de la democracia definió el papel tutelar del Ejército, de árbitro del sistema,

11 «Ecuador y América Latina», *El Comercio*, 16.2.2000.

en lugar de garante del orden establecido[12], de lo que sería prueba el hecho de que el actual presidente haya tomado posesión de su cargo en el Ministerio de Defensa antes que en el Congreso Nacional. Y quizás porque el gobierno del que formó parte estuvo también a punto de terminar antes de hora, un ex vicepresidente de la República afirma que «el poder no es a plazo fijo»[13]: en efecto, los militares nos han enseñado, más de una vez para que entendamos, quién decide la duración del mandato presidencial.

Nunca antes se empleó tanto y en todo sentido (como significado y dirección) la palabra traición. Traición de los dirigentes indios a las bases del movimiento: Miguel Lluco declaró que «los acuerdos con los coroneles y generales nunca fueron conocidos por las organizaciones indígenas, ya que algunos dirigentes, sobre todo "una persona: Antonio Vargas", manejaron esa relación en forma cerrada: "Al manejarlos en forma cerrada, no podíamos conocer el alcance que tenía el acuerdo, qué iban a poner las Fuerzas Armadas y cómo se pensaba gobernar [...] aspecto que deberá ser aclarado por Antonio Vargas, en el marco de la transparencia que exige el movimiento indígena»[14]. A lo cual el dirigente de la Conaie responde: «Nosotros sabía-

---

12 «Abuso de estado de emergencia», *HOY*, 07.02.2000.
13 Blasco Peñaherrera Padilla: «El poder es a largo plazo» (entrevista), *HOY*, 07.02.2000.
14 «En secreto tratos de Vargas». HOY, 04.02.2000.

mos lo que íbamos a hacer, no nos interesaba hacer conocer a todos los demás sobre los acontecimientos»[15]. Traición, en el sentido de insubordinación, de los coroneles a sus superiores, indiscutible por el mero hecho de que fueron detenidos y están a órdenes de la justicia militar, aunque se sabe, ¿desde Clemenceau?, que la justicia militar es a la justicia lo que la música militar es a la música. Pese a que Miguel Lluco declaró después que «el golpe fue una violentación al proceso de la Conaie [...], no está claro por qué hubo traición de los generales si no había, al parecer, acuerdo con ellos»[16], traición del Alto Mando a los mandos medios y a los indígenas: el general Carlos Mendoza dio a conocer que el extravagante espectáculo que él hizo abortar fue una estrategia decidida por la cúpula militar para la toma del Poder y así «evitar un derramamiento de sangre»; eso explicaría la benevolencia con que mira la campaña, iniciada por los indígenas y las esposas y madres de los coroneles —éstas consideran que ellos «abrieron su corazón para apoyar al pueblo, sin armas ni estrategia»—, en favor de una amnistía reclamada prematuramente, ignorando el Derecho y hasta el diccionario, antes de que hubiera habido juicio, sentencia ni condena. Y, por fin, traición de todos ellos a la Constitución que juraron

15 «"Lluco busca notoriedad"», Ídem.
16 Orlando Pérez: ob. cit.

defender: las acusaciones del general José Gallardo en ese sentido fueron muy claras. (Vargas, tras acusar a la cúpula militar ecuatoriana de «estar metida hasta el cuello en la corrupción», añade un «traidor» más a la lista: «También nos traicionó el [nuevo] ministro de Gobierno, quien pide castigo para los coroneles»[17], y quien, el día de su posesión del cargo indicó que la solución de los problemas no es cuestión «de alcohol ni de chamanismo», y preside la comisión «que analizará y acelerará los procesos de los temas planteados [...]: dar marcha atrás a la dolarización, descongelar los fondos [de los clientes, retenidos en los bancos desde marzo de 1999] y la libertad para quienes participaron en la jornada del 21 de enero anterior»[18]). La acción legal se basa en el artículo 130 del Código Penal que sanciona con reclusión mayor de cuatro a ocho años al «que en cualquier forma o por cualquier medio se alzare contra el Gobierno, con el objeto de desconocer la Constitución de la República, deponer el Gobierno constituido, impedir la reunión del Congreso...», delitos, todos ellos, que se cometieron a la luz del día y de los reflectores de las cámaras de televisión. En cuanto a la defensa parlamentaria de los principales acusados, es Carlos Jijón quien establece un paralelo sorprendente: «La diputada Ni-

17 «Vargas: "la cúpula militar es corrupta"», *HOY*, 03.02.2000.
18 «Diálogo Gobierno-Conaie: Huerta preside Comisión», *El Comercio*, 17.02.2000.

na Pacari argumentó que Antonio Vargas no puede ser procesado por haberse arrogado el poder de la República con apoyo de la fuerza militar, basándose en su posición de presidente de la Confederación de Nacionalidades Indígenas y sosteniendo que su prisión provocaría el levantamiento de miles de indios. Curioso razonamiento que ubica a Vargas en el mismo plano en que creía situarse Fernando Aspiazu [cuando] creía ser impune porque "representaba" a Guayaquil y era apoyado por las Cámaras de la Producción»[19].

César Montúfar escribe: «La asonada del 21 de enero fue un golpe militar, con la diferencia de que se puso a los indígenas al frente. Evidentemente, el sector militar utilizó a los indígenas para llevar adelante un plan preconcebido, ya sea la toma del Gobierno por los propios militares o la sucesión presidencial. [...] Hubo una utilización de parte y parte. En esto pesa la tradición política autoritaria, antidemocrática, desde la cual se han ido delineando las estrategias de los llamados movimientos sociales» que «podrían ser movimientos políticos disfrazados de sociales, pero creo que en gran parte la tradición de una izquierda autoritaria los lleva a pensar que el golpe es una vía para acceder al poder, mediante alianzas con los denominados "sectores progresistas" de los militares», y esto

19 Carlos Jijón: «Los intocables», *HOY*, 07.02.2000.

sucede «por una falta de valoración de lo que es la democracia: mientras los movimientos sociales de todo el mundo siempre han luchado por profundizar la democracia, en Ecuador tenemos lo inverso y es desconcertante»[20].

La «victoria histórica» del derrocamiento del presidente, proclamada por Vargas, se obtuvo gracias a la participación militar y se vio empañada precisamente por ella. En el regodeo del triunfo, la noche del «viernes negro», cuando el Alto Mando, desentendiéndose de la seguridad personal del presidente Jamil Mahuad, obligándolo así a abandonar el Palacio y pretendiendo que abandonara el país, y el triunvirato se mostraba risueño en los balcones ante la multitud —sin darse cuenta de que estaban, también, ante América—, parodiando una canción de Carlos Puebla cabe decir que, en un momento dado, «se acabó la diversión, llegó el general y mandó parar». De eso, de un sentimiento de frustración o derrota daba muestras visibles la deshilachada multitud indígena en la mañana del sábado: tras el retiro de las baterías higiénicas que suministró la Municipalidad y de los puestos que la Cruz Roja había instalado en su campamento, las indias enrollaban sus esteras, doblaban las carpas, juntaban a sus hijos y silenciosamente todos volvían al páramo, de donde vinieron con otras esperanzas, a «emprender un proceso de autocriti-

20 César Montúfar: «La democracia al revés», HOY, 03.02.2000.

ca para detectar los errores que habrían cometido durante el último levantamiento»[21], a fin de extraer lecciones para el porvenir... Pero sabiendo, o intuyendo, que ya no se podrá hablar de un proyecto de país sin contar con ellos. (No fue la alegría popular del derrocamiento de Arroyo del Río o de Bucaram. Quizá porque constituyó, esencialmente, un golpe militar que se aprovechó de la manifestación de la cólera y la insatisfacción populares, más parecido al espectáculo del cuartelazo que varias veces derrocó a Velasco Ibarra, aunque sin público. Tal vez por lo incierto del resultado. Acaso por la confusión que se creaba con la participación de diversos sectores con diferentes proclamas e intereses. O porque, sin pensarlo ni proponérselo, contribuyeron a una sólida reagrupación de la derecha en el Congreso y en el gobierno y ante los medios de opinión y de comunicación: en seguida salieron a vociferar en primer plano, como si hubiéramos olvidado su ralea, los mismos oportunistas de siempre con mayor desvergüenza que nunca: el solvente testicular, el tonto millonario, el payaso prófugo del circo de la justicia.) Casi a la misma hora, instalado en Guayaquil, el Congreso «en medio de declaraciones hipócritas, rabiosas y seudo democráticas de sus miembros [...] hablando del riesgo en que indios y militares pusieron a la democracia...»[22], le daba razón

---

21 «En secreto tratos de Vargas», ya citado.
22 *HOY*, 04.02.2000.

a los indígenas para pedir su disolución: era, en el fondo, la hipocresía con la cual quedaba comprobado el fracaso de todos los partidos políticos que, aunque hayan apoyado el golpe o lo hayan condenado, dejaron hace mucho de representar a la ciudadanía. Quizás les sea útil, más allá de las clarinadas amenazantes de algún dirigente, como anuncio o ensayo general de lo que podría sucederles a los «dueños del país» si no tienen en cuenta la existencia de ese conglomerado vivo de la patria. Y, en primer lugar, admitir que este puede ser el comienzo de un proceso que conduzca a elaborar, entre todos, un nuevo modelo de Estado, que no surgirá con la misma prontitud con que la Conaie y la Coordinadora de Movimientos Sociales piden la convocación a elecciones en 60 días garantizada por una ley que expediría (?) el «Parlamento de los Pueblos» como sustituto del Congreso.

Quizás lo peor, en el balance de un proceso que no ha terminado aún, y cuya salida nadie, ni siquiera sus actores, puede vaticinar, es la reavivación del racismo. Los indígenas que marcharon sobre Quito, y los dirigentes que hablaban por ellos, atentos más al griterío y brillo fugaz del golpe que estaban propiciando, en ningún momento se acordaron de condenar el racismo tras haberlo vivido durante siglos y, si fuera dable, de proponer soluciones —siempre inútiles, por desgracia— para descuajarlo de nuestra tierra. Quienes, en el norte de Quito, realizaban manifestaciones en automóviles, proclamando a gritos no ser indios, y en Guayaquil pretendían incluso atribuirles, al igual que el bloqueo de vías y mercados de la Sierra, los actos de vandalismo y saqueo cometidos en esa ciudad, o, haciendo alarde de un paternalismo insultante, amenazaban con la emancipación de su provincia para que no dependiera de los indios, se apresuraron a hablar de un «racismo al revés» (el suyo es, por tanto, «al derecho», o sea lógico y justo), ejercido por los indígenas. Es verdad que, por primera vez, si uno recuerda sus levantamientos —ejemplo de serenidad y cordura, durante los cuales jamás hubo una persona herida, jamás un vidrio roto o un automóvil incendiado—, algunos indios sometieron a burla y escarnio a los «mestizos» que acertaban a pasar cerca de ellos, pintándoles u obligándolos a pintarse la cara y a bailar, y dieron muestras de una violencia inhabitual contra los periodistas. Quince días después —y no lo justifica ni siquiera el hecho de que Vargas se haya referido al derrocamiento del alcalde de Guayaquil diciendo: «Podemos bajar a quien queramos. [..] Todo se puede»—, el líder nacional del regionalismo demostró serlo también del racismo, que se le asemeja, al declarar: «Rechazo las taimadas amenazas de quienes, afortunadamente pocos, acicateados por ancestrales rencores no representan la viril herencia de nuestros antepasados aborígenes que no envenenaron sus mentes ni trasuntan odios, porque jamás fueron sometidos ni esclavizados. No nos asustan sus primitivos y vergonzosos aquelarres como aquellos de los que dieron muestra, cuando un grupo de indios, comprometidos con absurdos extremismos, vejaron a pacíficos quiteños. En esta tierra huancavilca, tierra de todos los ecuatorianos, no hay espacio para demenciales frustraciones ni para payasos pretendiendo asustar, "jugando al cuco". Este es el Ecuador, no el Tahuantinsuyo»[23]. Lo cual es más de lo que queríamos demostrar...

Tras la «sucesión constitucional», Vargas anunció que desconocería el gobierno de Gustavo Noboa y predijo una guerra civil «dentro de seis meses» si no emprende las reformas planteadas por ellos. (Ya, en vísperas del levantamiento, el secretario de la Confederación de Nacionalidades Indígenas, sección del Litoral, vaticinó que, de un millón de indios que marcharían sobre Quito, habría 50.000 muertos, a manos del ejército y de la policía era de suponer.) Un plazo tal vez menor es el que señala cuando, después de exigir la libertad de los coroneles, anuncia al Gobierno que «habrá otra convulsión», si no libera «a los cientos de indígenas detenidos»[24]. (No hay ningún civil detenido, ni si-

---

23 «Febres Cordero responde a la Conaie», *El Comercio*, 09.02.2000.
24 *HOY*, 03.02. 2000.

quiera lo están los dos que integraron el triunvi-rato. Pero, para mayor confusión de todos, en la reunión «de acercamiento» con el Gobierno, a mediados de febrero, «se descartó la posibilidad de un nuevo levantamiento indígena, por lo me-nos en los próximos meses», según *El Comercio*, aunque «la dirigencia indígena advirtió que si no hay "cambios profundos" a corto plazo podría registrarse un nuevo levantamiento o un estalli-do social», según el diario *Hoy*[25]). Y nuevamen-te se produce la paradoja ya señalada en el capí-tulo «El fantasma de la política»: al igual que otros dirigentes y otros ciudadanos en circuns-tancias parecidas, condenan a «los políticos», su juego sucio, sus ambiciones, mientras van pare-ciéndose a ellos más cada vez, empleando su mismo lenguaje, adoptando sus mismas actitu-des; y condenan «la política» mientras se insta-lan en un Parlamento de los Pueblos que supo-nen más legítimo que el Congreso Nacional, de-rrocan al presidente de la República, piden la di-solución de la Corte Suprema de Justicia y anun-cian temibles (?) declaraciones de guerra. «El movimiento indígena cuestionó todo lo que ha-bía que impugnar: la identidad nacional, las for-mas estatales, las prácticas clientelares y racis-tas, la idea de nación, la arrogancia y el autori-tarismo de las elites blancomestizas. [...] la de-mocracia no es sólo un conjunto de procedi-

---

25 Ambos en su edición del 17 de febrero.

mientos y reglas. Allí hay un reduccionismo peligroso. La democracia es también una "discursividad" sobre libertades, derechos, participación, representación, ciudadanía, igualdad, pluralismo, que permite desplegar tácticas políticas. El movimiento indígena apeló sistemáticamente a esos valores para legitimar su lucha. Lo ocurrido el 21 de enero es condenable precisamente porque daba al traste con todo ese espacio conquistado.. [...] Que las élites [sic] conspiren y jueguen al golpe cuando son incapaces de lograr entendimientos, no debería sorprendernos: así han actuado históricamente, y por eso el país desconfía de ellas. Pero que el movimiento indígena haya entrado en una lógica parecida, aunque sea para reivindicar un proceso histórico de emancipación de los excluidos, resulta un contraste. En una coyuntura tan difícil, los indígenas contribuyeron al vacío creado por las élites [sic], para luego sentirse traicionados y manipulados por los militares. ¡Vaya paradoja emancipatoria!»[26].

Y, como si se hubiera propuesto dar nuevas razones para confirmar ese análisis de Felipe Burbano de Lara, la Conaie «creó un nuevo movimiento [...]. Su nombre es Frente de Salvación Nacional 21 de Enero y propone también una consulta apoyando los planteamientos indí-

---

26 Felipe Burbano de Lara: «Elites, indígenas y democracia», *HOY*, 08.02.2000.

genas. Y va más allá: candidatizaría al coronel Lucio Gutiérrez para la presidencia de la República después que [sic] se recorte el mandato de Gustavo Noboa, si en seis meses no cumple lo ofrecido...»[27]. Al día siguiente, se «conoció extraoficialmente que entre los "entusiastas" estarían algunos dirigentes de los sindicatos petroleros, familiares de los coroneles implicados en la asonada del 21 de enero pasado y algunos políticos que participaron en ella. Sobre la posible conformación del nuevo movimiento se conoció, gracias a un documento que contiene las resoluciones del último Consejo Político del Movimiento Pachakutik, que mira con preocupación al nuevo organismo». Cabe recordar que, «Gutiérrez conspiró con Antonio Vargas [...] para tomar el poder por la fuerza. No todos los luchadores sociales son democráticos [...]. Cierto es que democracia no es sinónimo de Constitución, pero sin ésta es imposible garantizarla o luchar por los derechos implícitos en aquella: participación, igualdad, elección, libertad de asociación, de pensamiento, de opinión... ¿Alcanza a ver esto el movimiento indígena de principios del año 2000? ¿Acaso el putchismo de los grupos radicales se resiste a luchar por la ampliación de los derechos democráticos implícitos o prometidos, y prefiere el atajo de una ilusoria "democracia real"?»[28].

27 «Consulta sin apoyo político», *HOY*, 08.02.2000.
28 Diego Cornejo Menacho: «Pocas pulgas», *HOY*, 09.02.2000.

Al llegar a esta página encuentro en el diario *HOY* un fragmento de un artículo del periodista francés Marc Saint-Upery (?) para quien el movimiento indígena «aún puede ser el eje de una recomposición novedosa, si no confunde sus propias y legítimas formas de democracia comunitaria con las exigencias de una sociedad heterogénea y compleja, si sabe articularlas con todos los otros espacios ciudadanos, podría dar al mundo el ejemplo de una verdadera modernidad alternativa. [...] La sociedad tiene derecho a exigirles a los indios transparencia y coherencia estratégica en su afán de representar y aglutinar a los sectores no oligárquicos»[29]. Pero, por ahora, «el riesgo que existe, para analistas y editorialistas consultados, es que la agudización de la crisis, la polarización de la política y el empobrecimiento de los indios pueda provocar una aventura militar o delincuencial violenta, en las que la Conaie no tenga control»[30]. Y el corolario espantoso de todo cuanto antecede, puede encontrarse al final de un artículo de Pablo Cuvi: «Lo incierto, lo terrible, es que una masa desorientada no garantiza que ese líder sea un progresista que amplíe la democracia. Podría ser un fascista que nos conduzca a los infiernos, elecciones mediante. Si en la exquisita Austria ya son gobierno, ¿por qué no aquí?»[31]

29 «Y la democracia qué», *HOY*, 11.02.2000.
30 «El desbloqueo político, otra tarea de la Conaie», Idem.
31 Pablo Cuvi: «Se busca líder nacional», *HOY*, 07.02.2000.

¿Culminación de un largo error en el que tiene que ver, histórica y geográficamente, la República? ¿Comienzo de un nuevo periodo, tan confuso como el resto de la memoria, sin que podamos todavía ver a dónde conduce? ¿Un tajo más, el más reciente, en el rostro de la patria? ¿Y cuándo le darán la próxima cuchillada? En el capítulo «Ante todo», del presente libro proponía mirarnos en nuestro espejo, por roto que estuviera, y «puesto que no miente, o miente menos que nosotros, no cabe buscar justificaciones a los rasgos defectuosos en lugar de reconocer que no hay otra manera de mejorar la imagen sino superando las imperfecciones reprochables de quien se mira». Al mundo le ofrecemos una figura denigrada de país, puesto que ahora el mundo nos mira, asombrado, no por una nueva asonada en la biografía latinoamericana sino, ante todo, por el lugar prominente que Ecuador ocupa en la escala mundial de la corrupción y porque debería «esforzarse por cambiar el sistema de partidos políticos, uno de los más corruptos de América Latina»[32]. Alguien decía creer que «la difusión de esas reacciones negativas en el exterior es muy saludable», ya que «a mucha gente le hará recapacitar sobre el grave daño que nos hacemos a nosotros mismos»[33], consue-

---

32 Editorial del *Wall Street Journal*, reproducido por *El Comercio*, 24.01.2000.
33 Blasco Peñaherrera Padilla: entrevista citada.

lo que recuerda, hasta cierto punto, el que nos da el proverbio español: pisar mierda trae suerte. A lo largo de este libro, hasta la última de las páginas impresas, venía proponiendo, con la insistencia que se requiere para seguir vivo, lo que afirma un verso de una canción francesa: «es preciso quererse con la cara que se tiene», pero lavándola de todos los tiznes adquiridos al soplar el fogón cotidiano del irrespeto, curándole las cicatrices de tantas caídas, extirpándole sus forúnculos e incluso, como si se tratara de una fiesta —ya dije que «la patria es una fiesta larga que interrumpen el azar, la diaria cacería, la ceniza»[34]—, recurriendo a afeites o cosméticos. Ahora no estoy muy seguro: creo que necesita de una cirugía estética, más honesta que una máscara. Tengo la impresión de que, pese a una aparente decisión de echarse a andar, nadie tiene claro el porvenir, nunca lo tuvimos: nos faltó un proyecto de país, de nación, porque olvidamos el pasado. Ahora tenemos miedo. Un miedo, mayor que el de ayer, a un desbaratamiento de la casa que veníamos construyendo a lo largo de siglos, a un reparto de la República por pedazos, a un retorno a la federación de cacicazgos que fuimos al comienzo, a la polvareda ideológica que se levanta de ese hundimiento en el rencor recíproco. Vivimos en la desesperación, la duda y la congoja. Y, sin embargo...

---

34 JEA: «Baraja de la patria», en *... ni están todos los que son*, Quito, Eskeletra Editorial, 1999, p. 260.

Me he releído, a trechos. Tenía la impresión de que, en cierto modo, engañaba a esos, siempre hipotéticos, lectores que compartían conmigo la necesidad urgente de afianzar nuestra identidad como nación: algo como retocar sus rasgos en una fotografía de pasaporte para que se viera bien la textura de su piel, el color de sus ojos, la forma de su boca. Y, de pronto, me pareció que eso era falso, que no había razón alguna para el orgullo, menos aún para la esperanza. Menos aún la esperanza en una «refundación» del país por quienes, se hallen en la cumbre del poder o en el calabozo de la discriminación, son hechura suya, a su semejanza, y eso es enfermedad hereditaria. El país, el Estado, no son el presidente, los diputados y los jueces, sino nosotros, todos. ¿Quién, a base de qué modelo, inventado aquí o traído de dónde, va a rehacer nuestra noción de patria, nuestra conciencia de nación, nuestra condición de ciudadanos que, a veces, nosotros no reconocemos para no respetarlos? Y al tratar de fundar un nuevo país, ¿qué nos hacemos con el otro, que existe? Y, sin embargo...

Había escrito, en el primer capítulo, que «quizás porque con ese resentimiento recíproco con que negamos la Colonia la perpetuamos, negándonos a nosotros mismos; quizás porque sentimos hoy día que el país se nos desmorona, no sabemos bien por qué, y nos guiamos por el ruido de los trozos que caen o por el hedor de la putrefacción moral y hacia allá volvemos los ojos, señalamos a tientas a los culpables de lo que nos sucede, pero nadie es culpable, menos aún nosotros. Y nos quedamos confiando a ciegas en algún milagro: por ejemplo, que los jóvenes —puesto que solo de ellos puede esperarse una transformación en todos los ámbitos de nuestra vida en común—, al verse en nuestro espejo roto, se avergüencen de esa parte de nosotros que aparece deformada y decidan ser diferentes, mejores, para que diferente y mejor sea la realidad.»

En medio de la niebla que no nos deja ver el camino, o en el cruce de caminos que, en realidad, no son muchos, aún es posible creer en el país, es más necesario que nunca creer en el país, la vida no valdría nada si no creemos en el país, en su gente buena, en su vocación de paz, en su capacidad para levantarse tras las zancadillas que le echan, en su fuerza para resistir. Entre dos cuadernos o dos canciones, los jóvenes están esperando la esperanza a que tienen derecho desde cuando les pusieron el tajo de sable en la frente como firma de decano al pie de su diploma. La perspectiva de un futuro en el que «no hay vacantes» los vuelve desanimados a unos, indiferentes a los más, casi ausentes, por lo cual podrían decir —como en un verso de Fernando Pessoa— «la patria, ese lugar donde no estoy». Hay que apostar a su porvenir y transformar en realidad su espera. Estamos llenos de futuro precisamente porque, teniendo la sensación de un gran vacío, mañana no puede ser la prolongación de hoy, tal como el presente ha sido la continuación de ayer. O sea que mañana depende de cada uno de nosotros, de lo que cada uno haga para cambiarlo. Para hacer que ellos crean en este país, debemos creer en él. Y, a pesar de él, también «tú, hipócrita lector, parecido a mí, hermano mío»[35].

---

35 *Toi, hypocrite lecteur, mon semblable, mon frère*, último verso de «Au lecteur», de Charles Baudelaire.

INDICE